U0152116

作　　　者┃火柱醫師

書　　　名┃肺苦之言

出　　　版┃超媒體出版有限公司

地　　　址┃香港荃灣柴灣角街 35-45 號裕豐工業大廈 1506 室

出版計劃查詢┃(852)35964296

電　　　郵┃info@easy-publish.org

網　　　址┃http://www.easy-publish.org

香 港 總 經 銷┃香港聯合書刊物流有限公司

出 版 日 期┃2017 年 5 月

圖 書 分 類┃流行讀物

國 際 書 號┃978-988-8391-74-5

定　　　價┃HK$88

*** 為保障個人私隱及達到教育效果，因此文中所提及病例可能由
真實及 / 或虛構病例改編而成 ***

如發現本書有釘裝錯漏問題，請攜同書刊親臨本公司服務部更換。

《肺苦之言》──序

　　本書《肺苦之言》可以說是《條氣唔順》的增訂本，《條氣唔順》一書來自本人的網誌：「一站一坐火柱看世界」（http://forchuyisze.blogspot.hk）。從 2015 年底起，我開始在網上發表一系列有關呼吸系統科疾病的文章，旨在用淺白的文字，透過多個案例和輕鬆的手法，闡述各種呼吸系統疾病，讓市民大眾較容易理解艱深的醫學知識。在此增訂本有五篇關於肺病的新文章，這正好補充了第一版的不足。最重要是加添了十五篇關於睡眠醫學的文章，無論業界或市民大都誤以為睡眠窒息症就等如睡眠醫學，其實睡眠醫學所包涵的範圍甚廣，本書亦只能涉獵一小部份而矣，希望新書能拋磚引玉，將來有業界翹楚發表更多關於睡眠醫學的文章。

　　一如第一版《條氣唔順》，我再次向教授我知識的師長和前輩致敬，還有那些我曾經相遇相識的病人，他們同樣是我的良師，從他們身上確實令我獲益良多。最後，希望各讀者閱畢本書後能「健肺安眠」。

火柱醫師
2017 年初夏

《條氣唔順》——序

　　我與作者在香港大學醫學院結緣；我倆畢業後，各自在公營機構不同的服務單位學習、打拼、服務。在過去的四分一個世紀，作者在胸肺內科孜孜不倦地鑽研發展，成為了一個不折不扣的資深專科醫生。

　　如作者所述，這本書是以輯錄作者從去年聖誕節開始創作的網誌文章，來跟讀者分享一些胸肺專科病有關的健康資訊、作者行醫所見所聞及生活隨想。

　　作者透過問病、斷症、檢查、治療等醫療步驟，把常見的症狀和日常病友親身感受、描述的不同生活個案，甚至罕見的肺科病例，用人性化的敘述，巧妙地勾劃出精妙的人生哲理。其次，作者更以生動有趣的描繪手法，帶出治療和尋找問題癥結，峯廻路轉的過程，具邏輯性，系統化，層次感，尤如福爾摩斯小說般。再者，作者偶以輕鬆手法帶出個案內容，繼而加入嚴肅警世忠告或是語重深長的肺腑之言，來引導讀者認識正確的健康資訊。

　　作者在書中，把複雜的個案深入淺出的同時，也能引經據典，徹底地體現實證醫學的精神。此外，那些英文專業名詞也以中文翻譯，令讀者較易掌握。

　　以我愚見，這本書除了適合對肺科疾病有興趣的讀者外，對於現在正在學習的醫科學生作參考，也甚有裨益。

內分泌科專科醫生
屈銘伸
2016 年炎夏

目錄

目錄

第一章

條氣唔順之綜觀篇

　　當第一眼看到書名，我們通常聯想到那是個討論政治、中港矛盾或網絡 23 條的地方；很抱歉！那實在是個美麗的誤會。此書旨在與大家分享健康資訊、工作見聞和生活隨想。香港人每分每秒都似乎在競賽，甚少「慢」下來；但我卻剛剛相反，嘗試停下來，無論一站、一坐或隨時隨地都想認真地看看這個世界，或許也可以看清楚自己。

　　大多數人直覺上認為「條氣唔順」應該是肺部出了毛病，多少時候確是如此，不過亦有其他原因引起，以下就是一個病例：有一位八十多歲婆婆（叫她黃老太）經家庭醫生轉介給我，查証是否患上遲發性哮喘病（Late onset Asthma）。老人家一向有血壓高和糖尿病，但從來沒有哮喘也沒有吸煙的習慣；不過，她近來常常感到氣喘，曾經喘到發出 HeHe 聲（亦叫扯哮或喘鳴），因而甚麼也不能辦，必須停下來休息，才能回氣，更甚是黃老太在睡夢中會氣喘到「扎醒」。家庭醫生給黃老太處方了一些哮喘用的噴霧劑，她的病徵似乎真的有些改善，所以醫生懷疑她患

上遲發性哮喘病。但醫學上八十歲高齡才患上哮喘是極為罕有的，我仔細查問老人家，發現婆婆最近除了氣喘外，不時亦有心口痛和腳腫，睡覺時不能平臥；經進一步檢查後，証實婆婆由於長期有血壓高和糖尿病，以致最終患上了冠心病，導致心臟衰竭，發現她的氣喘和喘鳴聲其實是由於心臟衰竭所引發的；醫學上直接稱那現象為心臟（cardiac）哮喘（asthma），那用詞實在非常貼切！

換言之，差不多所有呼吸系统疾病都可以引致氣喘，我亦曾遇見病人有氣喘問題，但其實他祇是患上肺動脈栓塞（pulmonary embolism）或酸中毒（metabolic acidosis）。肺動脈血管栓塞是由血塊阻塞肺的血管所致，可以迅速令病人死亡；而栓塞的成因包括乘搭長途飛機後、長期臥床、身患腫瘤或某些血科疾病引起。至於酸中毒，則由藥物（Aspirin overdose，Metformin……）、糖尿急性酸中毒（Diabetic ketoacidosis）及腎衰竭……等等引致。所以，氣喘除了由肺病（Lung）引起外，心臟病（Heart）、肺血管問題（Artery）或酸中毒（Metabolic acidosis）也是原兇。

H（Heart），L（Lung），A（Artery）-M（Metabolic）不失是個用來診斷氣喘病因的簡單口訣。身體健康問題，醫生可以幫到你，但若遇到不平事或橫蠻無理的人，令你「條氣唔順」，你就要自己選擇忍一時之氣、海闊天空；抑或據理力爭，討個公道？

* 本文第一稿於二零一五年十二月十四日在香港輔仁網發表

第二章

治療哮喘與詠春拳之攻略

　　張先生神色凝重地走進診症室，因家庭醫生告知，他可能患上哮喘病。三十多歲的張先生身體一向不錯，只是有鼻敏感，不知何故，他近年來，每當傷風、感冒，總是咳嗽一段日子才康復，有時會感到氣喘，甚至「扯哮」（喘鳴）。他的家庭醫生是一位非常有經驗的醫生，知道任何氣管問題（如氣管炎）也可能引致氣管收窄（bronchospasm），發出喘鳴聲（wheezing），所以不會貿貿然就診斷病人患上哮喘病。但張先生的病情每況愈下，就算沒有染上傷風或感冒，他仍有咳嗽和氣喘，小小運動也令他「扯哮」；經過我們為他身體作檢查及肺功能測試後，最後証實張先生患了哮喘病。

　　哮喘病是世界各地都常見的慢性疾病，粗略估計全球約有三億哮喘病人。多年來病人數目不斷增加，但哮喘病在各地的流行程度卻由百份之 1 至 18 不等，這不平均現象，文獻指出可能是由於採取西方生活模式或城市化生活有關。在香港約有百份之十的兒童及百份之五的成人患哮喘病。它的成因非常複雜，相信

是由遺傳、環境、非常錯踪複雜或互為影响的因素引起，其病徵為慢性氣道發炎，病人呼吸道的病徵和病情隨時間變化，受阻呼氣氣流（air flow limitation）具可變性。哮喘病的另一特點是每一個病人可能由不同的誘因（triggers）引致病發，哮喘病發而導致死亡的例子時有發生。

對醫護人員來說，張先生的「咳、喘、鳴」就是哮喘病的三大典型特徵，好像練武的人見到「攤、膀、伏」的手法，就能認出詠春拳來。經適當治療後，張先生現在可以做到其他同齡的人可以做到的事，他的病情可以説是完全受到控制（complete/total control）。但有一少撮哮喘病人只有咳，沒有氣喘或喘鳴（cough variant asthma），因世上有成千上萬的疾病也會引起咳嗽，醫生和病人往往花了很多時間，走了很多「冤枉」路才發現此冷門變式的（variant）哮喘病。不過要診斷此症亦有一定難度，最後要做支氣管激發試驗（Bronchial Challenge Test）才能定斷；支氣管激發試驗是一種醫學測試，診斷哮喘非常有效，患者吸入霧化乙酰甲膽鹼（Methacholine）或組胺（Histamine），令支氣管收縮或氣道狹窄，然後通過量化肺活量，測定變窄程度；若果做測試的人有高氣道反應性（如哮喘），對很低劑量的藥物就已經有反應。

其實「攤、膀、伏」裡面所包函的攻防意識也跟治理哮喘病的原則有雷同之處：

攤手：可防可化敵人的攻擊——哮喘病人要做好日常預防病發的常規（如遠離病發誘因和定時服用控制發作藥（controller）[1]）

膀手：可消可擋敵人的攻擊──哮喘病人面對病發時要迅速應對（如增強氣管擴張劑（紓解發作的藥物/reliever）[2]、使用口服或靜脈注射類固醇）

伏手：用作緊密監察敵人動向──哮喘病人要常常監察自己的病情，如填寫哮喘控制指數（Asthma Control Test）和尖峰呼氣流速評估（Peak Flow Rate monitoring）

　　從另一角度看，控制發生藥（controller）在哮喘病護理上的重要性等同二字拑羊馬在詠春拳般的重要，是一切預防疾病/預防敵人的基礎。類固醇（systemic corticosteroid）和緩解藥（rescuers / bronchodilators）就像詠春拳的左右連環日字衝搥，是制病（asthmatic attack）/制敵的殺着。

　　以上的理解和運用不知是否正確，還是找詠春師傅鑽研吧！

....

注釋：
1. 控制發作藥（controller; mainly inhaled corticosteroid）：具有抗炎作用，定期服用後可以控制氣道慢性發炎，減少及避免哮喘急性發作，控制哮喘的病況，穩定肺功能。
2. 緩解藥（reliever; inhaled beta 2 agonists，anti-cholinergic agents）：具有舒張支氣管作用，因此，也稱「支氣管舒張藥」，通常是在哮喘急性發作時按需要使用。

* 本文章的第一稿曾於 2015 年 12 月 19 日在香港輔仁網發表

第三章

少年哮喘病患者的困擾

　　早上我走進病房，見到珊珊姑娘正耐心地鼓勵 Billy 仔（假名）要準時食藥和覆診，其實 Billy 仔已是個廿多歲的青年人，但他個子特別矮小，所以大家仍叫他為 Billy 仔。他父母同樣患有哮喘病，Billy 仔同時患有鼻敏感和濕疹，所以他身體各處皮膚都有各種新舊紅斑，儀容比一般年青人大為遜色。Billy 仔由於自小有鼻敏感和濕疹，他的哮喘病由兒童延伸到成年，一點也不為奇 [1]。

　　Billy 仔於十八歲時由兒科轉往成人科，那時他仍就讀高中，因他兒時經常哮喘病發，須要進出醫院，以致學業成績大幅落後於人，甚至多次留級，最後也考不上大學。經過多年接觸，發現 Billy 仔的自我形象十分低落，性格內向，甚至非常悲觀，他經常將自己和其他年青人比較，不時嘲笑自己如何不濟。很多患有哮喘病的兒童進入青少年或成年的時候，都面對很多學業、社交和就業的問題，他們亦可能有抑鬱和憂慮的徵狀 [2]，而具有此負面情緒的哮喘病患者亦同時會有較多的哮喘病徵 [3]。

最近一年他開始不依時食藥和覆診，所以他也因哮喘多次病發而入院。Billy 仔的身體和肺功能轉差，父母顯得憂心忡忡。其實他不依時接受治療及與醫護人員不合作的表現，亦常見於其他青少年哮喘病患者，部份少年患者會因不了解治療或忘記服藥，產生不合作的情況，但很多個案是蓄意的：拒抗藥物及其副作用，覺得藥物難於服用或感到對病情沒有多大功用……[4]；更甚者，有些高危患者濫用酒精和吸煙[5]。

有一次在探病時段遇到 Billy 仔的父母，有機會與他們詳談，發現他們十分自責和內疚：

（一）遺傳了哮喘病給兒子；

（二）很多患哮喘的小朋友都在青春期「斷尾」（痊癒），為何 Billy 仔沒有？

（三）為何其他哮喘病人的病情都比 Billy 仔來得輕微？他們發出一連串關於為何人有疾病和苦難的問題，我也想不出令人及讓自己滿意的答案。

苦難懸迷正是千百年來宗教家、哲學家和智者解不開的結，何況渺小的我呢？

雖說現今醫學昌明，也不是萬能，起碼哮喘病現今仍是個不能根治的病。所以請體諒我們醫護人員力量仍是那麼微小；儘管如此，我們仍與 Billy 仔同行，相信珊珊姑娘也持有相同信念，她每次見到 Billy 仔必不厭其煩「哦」他一番，我總會報以微笑，以示對她的支持。Billy 仔加油！

參考文獻：

1. Identification of population subgroups of children and adolescents with high asthma prevalence: findings from the Third National Health and Nutrition Examination Survey. Arch Pediatr Adolesc Med 2002;156(3):269-75.

2. Asthma and depressive and anxiety disorders among young persons in the community. Psychol Med 2004;34(8):1465-74.

3. Asthma symptom burden: relationship to asthma severity and anxiety and depression symptoms. Pediatrics 2006;118(3):1042-51.

4. Health experiences of adolescents with uncontrolled severe asthma. Arch Dis Child 2010;95(12):985-91.

5. Risk taking, depression, adherence, and symptom control in adolescents and young adults with asthma. Am J Respir Crit Care Med 2006;173(9):953-7.

第四章

哮喘病人與寵物的情緣

　　近來我在候診室常常見到李女士（假名）覆診，四十多歲的李女士患上哮喘病已有二十年，以往她的哮喘病可說是受到控制，不知何故近幾個月來，她經常需要回來覆診，因此決定仔細了解她的近況，從而找出病情失控的原因：她遇上新的病發誘因？那是新的併發症？她不定時服藥？她的病情自然轉差？

　　進一步了解後，我知道她一年前和丈夫離異，現在仍在舊居與家傭生活，工作環境也沒有任何轉變。李女士看來情緒有點低落，雖說抑鬱有可能影響她的病情[1]，但是否因而嚴重影響她的病情確實存疑？加強了控制發作藥物（controller）劑量後，李女士的哮喘仍然未有改善，而她終於因為病發嚴重而需要入院治療；那回真的要詳細了解她的生活細節；自從她離婚後，便陸續飼養了好幾隻貓和狗當下我好像偵探發現重大線索一般的興奮，立即給她做化驗（Radioallergosorbent test, RAST），結果顯示病人對狗過敏原（Can f1）及貓過敏原（Fel d 1）呈非常強烈反應，那正好解釋為何李女士的哮喘病在近

數月來日走下坡。我提議她送走所有寵物，否則她的病情可能無法控制，不過，她斷然拒絕了；我沒有用平常責備那些不聽話病人的口吻回應她，因為從她的眼神，我明白那些貓和狗已不只是李女士的寵物，而是她的家人，可能是她唯一的家人，試問那人願意輕易離棄自己的家人呢？說起來真的有點諷刺，在香港繁華的大都會中，究竟有多少寂寞的心需要寵物來慰藉呢？相信沒有人知道。

翻查文獻，我極希望找出兩全其美的解決方案：不用送走寵物，但又能控制李女士的哮喘病。狗及貓的過敏原多存於牠們的口水、汗及尿液，而牠們又喜歡到處梳理毛髮，因此，過敏原會散發到家中各處及牢牢黏在物品的表面、衣物及地毯上，更會在空中傳播，直入人的微小氣管，是個十分棘手的難題。

由於李女士心意已決，無論如何也不會放棄那些寵物，在無可奈何下，我唯有提議她著家傭勤清潔家居，切勿使用地毯，不接觸寵物的排泄物，寵物的日常梳洗由她家傭負責，任何情況下都絕對不能讓寵物進入睡房及不要讓寵物舔她，亦可購置有 HEPA（High Efficiency Particulate Air）filter 的吸塵機來清除藏在家具、地毯和窗簾中的過敏原，不時參考一些權威網站 [2,3] 學習更多預防的知識。

當然那些都不是上策，多冀望終有一天她不再依靠寵物來慰藉心靈，可以完全遠離那些寵物帶來的過敏原。我沒有靈丹妙藥可以解決病人的婚姻問題和內心的傷痛，想到這裡，我感到太沉重了，幸好 APN（Advanced Practice Nurse，即等同以前的護士長）菁菁姑娘經過，教育及輔導李女士的重任便「卸」給

她，我要去面壁思過——診症的速度太緩慢，不符合
以數量為本的工作大方向。

參考文獻：

1. The impact of anxiety and depression on outpatients with
    asthma. Ann Allergy Asthma Immunol 2015;115:408-414.
2. Allergy UK:www.allergyuk.org
3. 香港過敏協會：www.allergyhk.org

第五章

哮喘病的孕婦不可胡亂停藥

　　何生何太（假名）走進診症室時，顯得十分緊張，令他們這麼緊張是因為產科醫生發現，何太雖然長期患有哮喘病，卻從來沒有找專科醫生定期跟進，何太已懷孕約 12 週（first trimester），但她懷孕前只是自行到社區藥房購買吸入式類固醇（controller）及氣管緩解藥（rescuer），隨意服用；當她知道懷孕後，因恐怕藥物對胎兒有不良影響，便完全停用，很多有慢性疾病而又懷孕的病人，都會持有那種做法——自行停藥。

　　其實哮喘病人在懷孕期間，可以有三種不同的病況，其中大概有三分一的病人病情有改善、三分之一平穩或三分之一的病人病情會轉壞[1]。同一病人在每一次懷孕，她哮喘病的病情也都雷同[2]，一般而言嚴重病患者會有較大機會在懷孕期間再發病[3]，而病發大多數在第 2 或第 3 妊娠期（trimester）出現[4]，不過，懷孕婦女甚少在妊娠的最後一個月哮喘病發[5]。醫護人員對懷孕的哮喘病人格外留神，因為若然她們的病情失控，可引致孕婦和胎兒遇到極大的

風險（e.g.hypertension, pre-eclampsia, complicated labour, fetal growth retardation, pre-term birth, increased perinatal mortality…）[6,7,8]。相反，若然她們的病情一直平穩沒有病發，那麼她們和其他沒有哮喘病的孕婦並沒有分別 [9,10]。

　　雖然我解釋了大半天，何太仍然十分擔心哮喘藥對胎兒的不良影響，我只好向何生夫婦再三強調，大量醫學研究 [11,12,13] 証實哮喘藥對胎兒沒有太大的不良影響，現時常用來控制哮喘病發的藥物（e.g.inhaled corticosteroid）和緩解發作的藥物（e.g. short & long acting ß2 agonists），甚致類固醇（steroid）對胎兒是十分安全的。那時，何太仍希望求證：「哮喘藥對胎兒是否絕對安全？」我只好回應：「世上沒有什麼事情是絕對的，唯有父母對子女的愛是無可置疑！」那一刻何氏夫婦才顯出一絲笑容。其實，處理任何事情都要有風險管理：母親哮喘病發帶給胎兒的風險，遠遠超越哮喘藥對胎兒的影響，文獻指出哮喘藥絕少對胎兒產生副作用。

　　之後，何太終於定時服藥和覆診；回想他夫婦二人曾憂憂愁愁地進來診症室，最後可安心地離開，在香港作為父母的，在孩子出生前，總會擔心下代的健康。當孩子出生後，又擔心他們是否能贏在起跑線上。過份催谷孩子的父母，就會被人冠以「怪獸」家長之名；任由孩子自然發展的，又怕他們將來不能應付香港畸型的考試制度和教育，真的難為了父母！但能贏在起跑線上又如何？大家記得那龜兔賽跑的故事嗎？最後誰在終點勝出呢？

　　幸好，我快要上岸了，我的女兒今年大學畢業，

不過正如李麗姍所言——我可能已經用了四百萬，唉我還是乖乖地繼續睇症、繼續挨世界吧！

參考文獻：

1. Effect of pregnancy on asthma: a systematic review and meta-analysis. Asthma and immunological diseases in pregnancy and early infancy. New York: Marcel Dekker; 1998. P.401-25.
2. The effect of pregnancy on the course of asthma. Immunol Allergy Clin North Am 2006;26(1):63-80.
3. The course of asthma during pregnancy, postpartum, and with successive. pregnancies: a prospective analysis. J Allergy Clin Immunol 1988;81(3):509-17.
4. The effect of pregnancy on the course of asthma. Immunol Allergy Clin North Am 2006;26(1):63-80.
5. Acute asthma during pregnancy. Thorax 1996;51(4):411-4.
6. Outcome of pregnancy in women requiring corticosteroids for severe asthma. J Allergy Clin Immunol 1986;78(2):349-53.
7. Severity of asthma and perinatal outcome. Am J Obstet Gynecol 1992;167(4 Pt 1):963-7.
8. Infant and maternal outcomes in the pregnancies of asthmatic women. Am J Respir Crit Care Med 1998;158(4):1091-5.
9. The course of asthma during pregnancy, postpartum, and with successive pregnancies: a prospective analysis. J Allergy Clin Immunol 1988;81(3):509-17.
10. Perinatal outcomes in the pregnancies of asthmatic women: a prospective controlled analysis. Am J Respir Crit Care Med 1995;151(4):1170-4.
11. The safety of asthma and allergy medications during pregnancy. J Allergy Clin Immunol 1997;100(3):301-6.
12. Effect of maternal asthma, exacerbations and asthma medication use on congenital malformations in offspring: A UK population-based study. Thorax 2008;63(11):981-7.
13. Safety of asthma and allergy medications in pregnancy. Immunol Allergy Clin North Am 2006;26(1):13-28.

第六章

哮喘病人還要吸煙？

　　我走過病房時遇到 APN（Advanced Practice Nurse, 即等同以前的護士長職級）發爺（假名）正在「哦」緊陳先生去戒煙。陳先生是個四十多歲比較粗豪的男士，他間中也會因哮喘病發作而入院。據聞他在娛樂場所工作，最初由吸二手煙，後來變為煙民，因此，他的哮喘病也經常發作。我跟他傾談了幾句，原來他去年結了婚，最近「榮升」為爸爸，我恭喜他之餘，心想那是勸他戒煙的好時機。

　　我鄭重地告訴他，如果一個哮喘病人吸煙，他哮喘病的發病率會大增，同時病情也會轉差[1]，吸入式類固醇（controller）變得沒有多大效用[2]，他的肺功能也會迅速衰退[3]，甚或變成肺氣腫的病情[4]，我直接地問他：「你都唔想經常病發無得陪個仔架[5]？又或者將來唔夠氣同個仔去踢波？」陳先生面色為之一沉，我順勢再引述一個歐洲社區健康研究[6]，指出如果父母吸煙，會對年幼子女的肺部發育有不良的影響，甚或引發類似哮喘病的病徵。初為人父的陳先生立即變成一個小學生，十分留心地聽聆我的訓誨，我乘勢意正詞嚴地指出：「陳生！如果你不幸地遺傳了

哮喘病給下一代，而他們又經常吸入你的二手煙，病發就會頻繁，常常「幫襯」我們的急症室[7]」。於是陳先生跟我討價還價：「食少幾支煙咁咪得囉！」可是醫學研究[8]顯示有哮喘的兒童就算只是接觸少量二手煙也會引發夜間病發的，大多數的罪魁禍首都是由父親製造出來的二手煙[9]呢！

經過我一輪繪影繪聲的游說後，陳生明顯地對戒煙沒有早前那麼抗拒，正如豹哥在電視宣傳片常常說：「搵個理由去戒煙。」我想：為了自己、家人的健康及為了多活七年的壽命[10]，看見下一代的成長，我們今天就決心戒煙，無需等埋大學「首副」或等埋新界個位「發叔」才行動！不過，陳生現在就要在病房等埋呢位發爺（專科護士）給他一些戒煙資料。

其實，游説或協助戒煙工作，都屬於基層醫療（Primary Medical Care）的範疇，但香港醫療政策一向忽視預防疾病，沒有做好基層醫療，市民大不了真的患病，便往公營醫院（secondary medical care），多年來，社會沒注重預防工作，加上人口嚴重老化，現在終於問題多多，公營醫院經常有人滿之患，無論病人和前線醫護人員都叫苦連天，面對窘境，前線醫護人員自然會想辦法減少人（患）病（Reduce patient），但行政人員可能只想辦法減少病人（Reduce admission）。

作為前線醫護人員的我，我只修讀了醫科，並沒有副修數學科或行政管理，所以請原諒我對數字不夠敏感和執著，更要原諒我人到中年，可能有早期認知障礙，新的東西未必學得懂，但我對修讀醫學的理念卻牢牢記得（long term memory）。

參考文獻：

1. Guidelines for the diagnosis and management of asthma. NIH Publication No. 07-4051Bethesda, MD: National Institutes of Health ;2007.
2. Influence of cigarette smoking on inhaled corticosteroid treatment in mild asthma. Thorax 2002;57:226-30.
3. Acute effects of cigarette smoking on inflammation in healthy intermittent smokers. Respir Res 2005;6:22.
4. Smoking and asthma:clinical and radiological features, lung function, and airway inflammation. Chest 2006;129:661-8.
5. Role of symptoms and lung function in determining asthma control in smokers with asthma. Allergy 2008;63:132-5.
6. The role of smoking in allergy and asthma: Lessons from the ECRHS-Curr Allergy Asthma Rep 2012;12:185-191.
7. Effects of second hand smoke exposure on asthma morbidity and health care utilization in children:a systemic review and meta-analysis –Ann Allergy Asthma Immunol 2015;115:396-401.
8. Environmental tobacco smoke exposure and nocturnal symptoms among inner-city children with asthma J Allergy Clin Immunol 2002;110:147-153.
9. Environmental tobacco smoke and its effect on the symptoms and medication in children with asthma. Int J Environ Health Res 2009;19:97-108.
10. A national survey of the acceptability of quitlines to help smoking. Pediatrics 2006;117:695-700.

* 本文章的第一稿曾於 2016 年 1 月 13 日在香港輔仁網發表

第七章

不飽、和脂肪與哮喘

　　馬神師兄快要移民，所以今晚一定要跟他玩齋手齋過夠本，可惜，我的功夫造藝與他相差甚遠，所以好快就敗陣。馬神師兄身形 fit 到漏油，技術一流，難怪最近兩次比賽，他都奪得大獎在香港大多數人都是響往各種美食，如何享受生活，所以關於飲食的電視節目同雜誌多的是，擁有水桶身形的人（包括小弟）隨處可見，師兄能夠保持得咁 fit 實在很難得。

　　在差不多所有發達城市，肥胖都是個日益嚴重的健康問題，原來除了血壓高、糖尿病和血脂高等常見併存病（comorbidities）外，肥胖和哮喘也有千絲萬縷的關係。現時這兩種疾病的病發率（prevalence）都不斷上升，過去十年，大量科研報告 [1,2] 發現肥胖的兒童及成人，有較高風險患上哮喘病。若果小朋友六歲前已經變得肥胖，那麼他會比後來才變得肥胖的兒童，有更高風險患上哮喘病 [3]。成人方面，越肥胖就有越高風險患上哮喘，而且越變得難以控制 [4]。究竟肥胖的男士和女士，那一群組有更高風險患上哮喘？現在未有定案。

當病人的 Body Mass Index（BMI= 體重（Kg）/ 身高（M）^{2}）大過 30 時，肥胖會直接減少人的肺功能（FEV1、FVC、FRC、ERV、TLC）[5,6]；而病理也跟其他正常體重的哮喘病人不同（not traditional eosinophilic/T helper 2 inflammation）[7]。以前哮喘病只簡單地被分為「過敏性/外源性」哮喘或「非過敏性/內源性」哮喘。現時醫學界嘗試將哮喘病人根據發病年齡、是否吸煙、有沒有過敏、病情的嚴重性及對藥物的反應，分成各顯型（phenotypes）。

一般來說肥胖的哮喘病人有較多病徵、較多病發率、生活質素較低及對藥物治療欠佳，整體來說，他們的哮喘較難處理[4,10]。各種食療方案，如維他命 C、維他命 D、Selenium（硒）和低鹽餐等經廣泛研究[8,9]後，發現成效不顯著。但病人若能成功減肥，絕大多數都有正面的效果：病徵會減少、減少用藥及少了病發[11,12]。唉難怪替人減肥的生意長做長生。不過要注意坊間流傳了很多偏激的減肥方法，可能收一時之效，但卻有可能傷害長期健康。

不飽、和脂肪其實也正正是香港和小弟成長的寫照：

在五六十年代，很多香港人吃得不飽、但現在大多數人卻滿肚脂肪，成日想點減肥好。小弟兒時很窮，間中吃得不飽、現在太多脂肪，無 quota 可以吃得太飽。簡單講——以前無錢食、現在無膽食。人生總是充滿悖論或矛盾、上天硬要同你開玩笑。

參考文獻：

1. Prevalence and incidence of asthma related to waist circumference and BMI in a Swedish community sample. Respir Med 2004;98(11):1108-16.
2. Overweight, obesity and incident asthma-a meta-analysis of prospective epidemiologic studies. Am J Respir Crit Care Med 2007;175(7):661-6.
3. Body mass index and the incidence of asthma in children. Curr Opin Allergy Clin Immunol 2014;14(2):155-60.
4. Body mass index and asthma severity in the national asthma survey. Thorax 2008;63(1):14-20.
5. The effects of body mass index on lung volumes. Chest 2006;130(3):827-33.
6. The effect of body fat index on pulmonary function tests. Chest 1995;107:1298-302.
7. Obesity in asthma: more neutrophilic inflammation as a possible explanation for a reduced treatment response. Allergy 2012;67(8):1060-8.
8. Dietary sodium manipulation and asthma. Cochrane database systemic rev 2004;(2):CD003538.
9. VIT C for asthma and exercise induced bronchoconstriction. Cochrane database systemic rev 2013;(10)CD010391.
10. Obesity and asthma: an association modified by age of asthma onset. J Allergy Clin Immunol 2011;127(6):1786-93.e2.
11. Weight loss interventions for chronic asthma. Cochrane Database Syst Rev 2012;(7):CD009339.
12. Role of management in asthma symptoms and control. Immunol Allergy Clin N Am 2014;34:797-808.

第八章

哮喘病與「煲劇」、「食快餐」
有何干？

　　我不能不承認年紀真的大了，只是練習個多小時詠春，便上氣唔接下氣，我唯有坐在場邊休息，順便跟師母閒談一番。我們東拉西扯，不知不覺傾談到香港隨處見到「低頭」一族，每一個人隨時隨地都在玩智能電話或平板電腦，不少年青人腰背皆疼痛，甚至患上「電腦肩炎」、「滑鼠手炎」⋯⋯

　　其實「煲劇」不單傷害視力和筋骨，原來同哮喘病也有莫大關係！一個有三千多人參與的大型研究 [1] 指出，如果兒童每日看電視多於兩小時，他們會比那些每日只看一至兩小時電視的多一倍風險患上哮喘病。若果兒童同時也是過胖；那麼患上哮喘病的風險更大 [2]。一面「煲劇」一面吃零食，對很多人來說是人生一大快事，可惜，若果小朋友一星期吃多過三次零食，再加上每日煲劇多於兩小時，他們比同齡沒有這行為的人多五倍風險患上哮喘病 [3]。總括而言，「煲劇」、吃零食、缺乏運動和過胖等，都使人容易患上哮喘病或使哮喘病情加劇 [4]。

要反思新科技和西方文化對我們的衝擊，首先必定是飲食文化；香港七十年代有「× × 雞」和「× × 包」打進飲食市場，大大傾覆了我們傳統的飲食習慣。漢堡包快餐店到處林立，但西方研究[5]早已發現，就算一星期吃一次漢堡包都會引發更多喘鳴。兒童及青少年如果一星期吃三次快餐，就會有較多風險患上嚴重哮喘病[6]。婦女食用快餐甚至能拉倒母乳餵哺對哮喘病的益處[7]，最近更發現孕婦若果每天都吃快餐，她的孩子將來會多於常人四倍的風險患上哮喘病[8]。相反若能多吃水果、蔬菜和魚類，就能起保護作用，減少患上哮喘[9,10]。

　　其實，任何科技都是兩刃的劍；有研究[11,12]利用智能電話預載特別個人 AAP（Asthma Action Plan, 即預先制定方案，讓病人按情況能自助應付哮喘發作），幫助哮喘病人，初步發現那效果是正面的。我正想繼續大發謬論時，但貌似張偉健的堯大師兄卻大聲問：「有無人練完拳去食飯？」我年紀大，還是早睡早起好，所以快快「閃人」。不過今晚好似無乜練個野啊，但起碼無煲劇、無玩手機和無食零食呀智能電話／平板電腦，似乎已控制了這一代大部份人，大家常見一家人飲茶食飯，卻各自玩手機，沉醉於虛擬世界，也許現實世界太令人畏懼吧！

參考文獻：

1. Association of duration of television viewing in early childhood with the subsequent development of asthma. Thorax 2009;64:321-5.
2. High screen time is associated with asthma in overweight Manitoba youth. Journal of asthma 2012;49(2):935-41.
3. Salty snack eating, television or video game viewing, and asthma symptoms among 10-12 year old children: the PANACEA study. J Am Diet Assoc 2011;111:251-7.
4. Associations of BMI, TV-watching time, and physical activity on respiratory symptoms and asthma in 5th grade schoolchildren in Taipei, Taiwan. Journal of Asthma 2007;44(5):397-401.
5. Fast foods-are they a risk factor for asthma? Allergy 2005;60(12):1537-41.
6. Do fast foods cause asthma, rhinoconjunctivitis and eczema? Global findings from the international study of asthma and allergies in childhood (ISAAC) phase three. Thorax 2013;68(4):351-60.
7. Fast food consumption counters the protective effect of breastfeeding on asthma in children. Clinical & Experimental Allergy 2009;39(4):556-61.
8. Fast food consumption in pregnancy and subsequent asthma symptoms in young children. Pediatric Allergy & Immunology 2015;26(6):571-7.
9. Effect of diet on asthma and allergic sensitization in the international study on allergies and asthma in childhood (ISAAC) Phase Two. Thorax 2010;65:516-522.
10. Fruit and vegetable intake and risk of wheezing and asthma: a systemic review and meta-analysis. Nutrition Reviews 2014;72(7): 411-28.
11. Development and pilot testing of a mobile health solution for asthma self-management: asthma action plan smartphone application pilot study. Canadian Respiratory Journal 2013;20(4):301-6.
12. Mobile based asthma action plans for adolescents. Journal of Asthma 2015;52(6):583-6.

* 本文章的第一稿曾於 2015 年 12 月 29 日在香港輔仁網發表

第九章

清潔工人更容易患上哮喘嗎？

　　前陣子我在醫院走廊遇見職業治療師阿蓮姑娘，她提及一位六十多歲的桃孃（假名）——由骨科醫生轉介職業治療部作復康治療的病人，她的上肢尤其手部有嚴重退化和勞損。阿蓮姑娘替她評估時，發現桃孃有類似哮喘的病徵，但桃孃從來沒有哮喘的病史或吸煙習慣，這實在有點奇怪？

　　所以我安排她在門診作進一步檢查，原來桃孃要獨力撫養她弱能的兒子，所以她除了日間做清潔工人外，晚上還兼職做洗碗和鐘點工人等與清潔相關的工作；那可以理解為何桃孃的手部功能嚴重退化和勞損，但為何她有類似哮喘的病徵呢？我追查下去，發現她丈夫在世時，桃孃全時間在家中照顧兒子；但前兩年，她丈夫去世後，她便要肩負家庭的經濟擔子。

　　那時我開始有點頭緒，因大量文獻[1,2,3]指出：清潔工人比其他工種的人有較高風險患上職業性哮喘病，就算是日常家居清潔工人（如「鐘點」或家傭）也一樣是高風險的[4]，而女性的風險比男性為高[5]。患者出現哮喘的病徵或哮喘病發通常是他們接

觸過噴灑液（spray）[6]、漂白劑（bleach）[7]、打蠟（waxing）[8]、阿摩尼亞（ammonia）[9] 等等。那些化學物質直接刺激氣道或引起敏感反應[10]；但清潔工人也可能是在工作地點遇到過敏原而引致哮喘病發。

要診斷職業性哮喘一點也不容易，最簡單的篩查方法就是查詢病人在放假時是否有較少哮喘的病徵那方法有 58%-100% 的敏感度（sensitivity）及 45%-100% 特異性（specificity）[11]，而氣喘及喘嗚就是最常見的病徵。另外病人使用串行尖峰呼氣流速監察（serial peak flow rate monitoring），也是一個切實可行的方案[12]；簡單來説，病人利用小儀器在上班時及下班後，測量呼氣流速，看看兩者有沒有明顯分別。在香港我們不容易找到其他較精準的測試來確診職業性哮喘。

可是，桃嬸告訴我，兩年來她從沒有放假，所以她根本不知道她的病徵會否在放假的日子有所改善。最重要的是就算她真的因為接觸清潔劑而患上職業性哮喘，她也不能放棄那些清潔工作，因為她沒有其他謀生技能；她也絕對不願意去領取「公援」，因她受不了大眾鄙視的眼光。那都是多得香港傳媒，把所有領取「公援」的人都塑造成「好食懶」的一群！

堅尼系數（Gini Coefficient）普遍用於量度社會上收入分佈不均的情況，系數的數值越高，社會上收入分佈不均的程度越大。香港表面上十分繁榮和物質富裕，人均收入也十分可觀，但是香港的堅尼系數由 1981 年的 0.451 升至 2001 年的 0.525。香港政府卻解釋本地收入不均的情況加劇，未必是貧窮情況惡

化，只是富者變得越富，貧者其實已較之前富裕。那果然是高超的語言「偽術」，如果那是事實，為何桃嬸仍要抱病辛勤工作？我們的高官可能從未踏足過深水……（不是深水灣呀大哥！）等舊區，未見過天光墟所售賣的二手衣物，甚至是二手食物。想到農曆年快到，難為了像桃嬸的基層市民，又要「撲水過年」。

參考文獻：

1. Risk of asthma associated with occupations in a community based case control study. Am J Ind Med 1994;25:709-718.
2. Occupational exposures associated with work related asthma and work related wheezing among US workers. Am J Ind Med 2003;44:368-376.
3. The New Zealand workplace workforce survey II: occupational risk factors for asthma. Ann Occup Hyg 2012;54:154-164.
4. Asthma symptoms in women employed in domestic cleaning:a community based study. Thorax 2003;58:950-954.
5. Occupation and asthma: a population based incident case control study. Am J Epidemiol 2003;158:981-7.
6. The use of household cleaning spray and adult asthma. An international study. Am J Respir Crit Care Med 2007;176:735-741.
7. Short term respiratory effects of cleaning exposures in female domestic cleaners. Eur Resp J 2006;27:1196-1203.
8. Relationship between asthma and work exposure among non-domestic cleaners in Ontario. Am J Ind Med 2009;52:716-723.
9. Occupational risk factors for asthma among nurses and health care professionals in an international study. Occup Eniviron Med 2007;64:474-479.
10. Mechanisms of occupational asthma. J Allergy Clin Immunol 2009;123:531-542.

11. Occupational asthma:Prevention, identification & management:Systematic review & recommendations. London:British Occupational Health Research Foundation; 2010.Available from url:http://www.bohrf.org.uk/projects/asthma.html

12. Development of an expert system for the interpretation of serial peak expiratory flow measurements in the diagnosis of occupational asthma. Midlands Thoracic Society Research Group. Occup Environ Med 1999;56(11):758-64.

第十章

哮喘病與飲食文化

　　有人說：「中國人是個懂得飲食的民族」；我同意！以往中國人都深知道食物與健康的密切關係，但自從快餐文化「殺入」香港後，大家就漸漸忘記了那優良的傳統智慧，相反，西方世界卻不斷大規模研究食物與健康的關係。

　　近年文獻發現預先包裝的食物（尤其是加工食品），似乎與各種慢性疾病都扯上某些聯繫：如癌症[1]和心血管病[2]。隨著西方飲食習慣普及和全球化，哮喘的發病率也同時增加了[3]，越先進及發達國家就有越高的新增哮喘病個案[4]。西方飲食模式（western diet patterns）泛指多肉、高脂奶類產品、多糖飲品和精製糧食。但多個歐洲大型研究[5,6]都找不出西方飲食模式與哮喘病扯上什麼因果關係。同樣一個關於五萬多星加坡華人的「點心」（meat-dim-sum）飲食習慣研究[7]也找不出與哮喘病有甚麼關係。另外，一個約千五人參與的內地科研報告[8]也沒有發現雲吞湯味精（Monosodium Glutamate）與哮喘病有什麼關係。

不過，有些歐洲醫學研究 [9,10] 卻發現西方飲食模式增大了哮喘病發病率（morbidity）。而日本的一個小型醫學研究 [11] 亦發現，快餐文化與喘鳴及哮喘有一定的關係。

　　那麼究竟西方飲食如何影響哮喘的發展？有幾種可能性：

1. 西方飲食多有促炎（proinflammatory）食品，但卻缺少抗氧化食物；

2. 很多加工食品都含防腐或添加劑；

3. 食物當中的化學原料亦可能對腸內的微生物有不良影響等。

　　香港人不知為何對所謂健康食品和補充劑都總有一份迷思，但實際上無論 Magnesium、Selenium、O Mega 3 fatty acid，甚至熱賣的 Vitamin D 都未能証實對哮喘病有任何幫助。究竟甚麼模式的飲食習慣才算得上健康呢？初步發現 Mediterranean Diet（多蔬果、全麥、魚、家禽、橄欖油、豆類）較為健康 [12]。

　　「講時講」又遇到營養師露露姑娘，她見到我那超越黃線的大肚腩，便隨手拿出她的道具：一兩肉、一兩什麼什麼的膠模型教導我一番。小生怕怕囉！我找個理由快閃人；減肥當然是我畢生的目標，但不是今日。減肥最有效的方法相信是將買得過多的食物及物資轉送他人，減少誘惑。在新春季節我們隨時都可以找到個理由將各樣物資送給有需要的人，過時過節送禮是中國人的傳統，亦可以大大減少人家的尷尬。

轉送物資會不會令你新年行大運？我不知道，不過我肯定你會感覺良好，今晚睡得甜甜；「人在做、天在看」。

參考文獻：

1. Dietary patterns and ovarian cancer. Am J Clin Nutr 2009;89:297-304.
2. Dietary patterns and the risk of coronary heart disease in women. Arch Intern Med 2001;161:1857-1862.
3. Diet and asthma: looking back, moving forward. Respir Res 2009;10:49.
4. Is the prevalence of asthma declining? Systemic review of epidemiological studies. Allergy 2010;65:152-167.
5. Dietary patterns and adult asthma population-based case control study. Allergy 2010;65:606-615.
6. Dietary patterns and risk of asthma: results from three countries in European Community Respiratory Health Survey-II. Br J Nutr 2010;103:1354-1365.
7. Prospective study of dietary patterns and persistent cough with phlegm among Chinese Singaporean. Am J Respir Crit Care Med 2006;173:264-270.
8. Monosodium glutamate intake, dietary patterns and asthma in chines adults. PlosOne 2012;7:e51567.
9. Patterns of dietary intake and respiratory disease, forced expiratory volume in 1 s, and decline in 5-y forced expiratory volume. Am J Clin Nutr 2010;92:408-415.
10. Dietary patterns and asthma in the E3N study. Eur Repir J 2009;33:33-41.
11. Diet among Japanese female university students and asthmatic symptoms, infections and pollen and furry pet allergy. Respir Med 2008;102:1045-1054.
12. Dietary pattern And asthma: A systemic review and meta-analysis. Journal of asthma and allergy 2014;7:105-21.

第十一章

嚴重哮喘病―有待解決的難題

　　小娟（假名）從小就在我的醫院醫治哮喘病，這麼多年來兒科部的同事都想盡辦法控制她日益嚴重的病情，但小娟最後還是要接受長期口服類固醇的治療――GINA Step 5[1]。她 18 歲後便由我們成人科接手醫治，我們一如既往，從最基本開始――診斷；事實上有多種疾病也有哮喘病相似的病徵，不過由於她一直在兒科覆診，所以我們比較安心。相反，我們集中精力去偵查合併症（comorbidities）及其他因素，有文獻指出合併症會加劇哮喘病的病情，適當的處理會大大減輕病情。簡單的習慣，如是否準時服藥物[2]及能否正確使用吸入式藥物[3]，都對哮喘病的治療有舉足輕重的影響。

　　雖然小娟以前己經接受過耳鼻喉專科醫生的評估，排除了嚴重鼻竇炎（rhinosinusitis）的可能性，我們還是要求耳鼻喉科醫生重新評估，一來鼻竇炎經常與哮喘病共存[4]，二來要排除聲帶功能異常（vocal cord dysfunction）的情況。但檢查後我們沒有發現。可幸小娟本身沒有吸煙[5]、並不肥胖[6]、沒有明顯的憂慮和抑鬱徵狀[7]，因為以上種種都可

能加劇她哮喘的病情。小娟接受了新一輪詳細檢驗後，仍然沒有任何新發現。由於她的吸入性過敏原測試（Aeroallergen screening test）[8] 或 Total IgE level[9] 正常，所以免疫治療（Immunotherapy or Anti-IgE）對小娟不會起什麼效用，唯有繼續處方使用口服類固醇。

　　小娟確是個不折不扣的生命鬥士，雖然她不時病發入院治理，她身體亦出現類固醇的副作用（如外貌肥胖、滿面暗瘡……），但她仍努力尋找工作機會。最近，她找到了一份在迷你倉做文員的工作，最初大家都替她感到十分高興，但後來發覺她哮喘嚴重病發；我們進一步了解她的工作環境，才知道她幾乎等同身處密室內工作就算貨倉發出什麼異味，由於無從得知客人究竟儲存了什麼物品，所以小娟難以防避。在放假的日子，她的哮喘病徵就會大大改善，那是很典型的 Work aggravated asthma[10]。由於她的病情開始失控，大家只好無奈地勸她辭職。

　　當用盡了現行的治療方案，我們唯有寄望新的藥物（如 Anti-IL4、5、8 及 13……），只可惜那些新藥可以應用在臨床上是遙遙無期，相反，另一種新的治療方案（Bronchial thermoplasty）[11,12] 卻可望在一兩年內在港試用，它的原理像將一個小型「辣雞」放入氣管「辣死」患者的肌肉，因此氣管不再收窄，從而減少哮喘發作。

　　面對如小娟的嚴重哮喘病（Severe asthma），我們確實需要事前有強力的部署[13]，運用自己所知又最好的方法去應對，否則我們作為醫護人員到時可能變得手足無措。

參考文獻：

1. Global Strategy for Asthma Management and Prevention. Global Initiative for Asthma (GINA)2015. http://www.ginasthma.org.
2. A study of a multi-level intervention to improve non-adherence in difficult to control asthma. Respir Med 2011; 105: 1308–1315.
3. The importance of nurse-led home visits in the assessment of children with problematic asthma. Arch Dis Child 2009; 94: 780–784.
4. Characterization of the severe asthma phenotype by the National Heart. Lung. and Blood Institute's Severe Asthma Research Program. J Allergy Clin Immunol 2007; 119: 405–413.
5. Smoking affects response to inhaled corticosteroids or leukotriene receptor antagonists in asthma. Am J Respir Crit Care Med 2007; 175: 783–790.
6. Obesity and asthma: an association modified by age of asthma onset. J Allergy Clin Immunol 2011; 127: 1486–1493.
7. Psychological factors in severe chronic asthma. Aust NZ J Psychiatry 1999; 33: 538–544.
8. Features of severe asthma in school-age children: atopy and increased exhaled nitric oxide. J Allergy Clin Immunol 2006; 118: 1218–1225.
9. Results of a home-based environmental intervention among urban children with asthma. N Engl J Med 2004; 351: 1068–1080.
10. An Official American Thoracic Society Statement: Work-Exacerbated Asthma. Am J Respir Crit Care Med Vol 184. pp 368–378. 2011.
11. Bronchial thermoplasty in asthma: current perspective. Journal of asthma and allergy 2015;8:39-49.
12. Bronchial thermoplasty: a new therapeutic option for treatment of severe uncontrolled asthma in adults. European Respiratory Review 2014;23(134):510-8.
13. International ERS/ATS guidelines on definition. evaluation and treatment of severe asthma. Eur Respir J 2014; 43: 343–373.

第十二章

不單只是哮喘麼？

　　黃先生（假名）患上了哮喘病和鼻敏感已兩年多了，不知何故，他每次覆診總是埋怨藥物令他全身骨痛、容易疲勞及間中有點發燒。同事們（醫生）當然覺得他的指控毫無理據。但最近他越來越「勞氣」，覺得我們沒有好好正視他的問題，似乎想去 Public Relationship Officer（PRO）投訴。一如既往我又「被」指派去「救火」，馬上給黃生安排了好些檢查，抽血報告發現，黃先生有嗜酸粒細胞增多（Eosinophilia）；雖然他的度數比較高，但患有哮喘和鼻敏感的病人，理論上也可以有嗜酸粒細胞增多（Eosinophilia）。但他的肺部 X 光片卻出現了不尋常的陰影但後來再照 X 光之後，那些陰影（Infiltrates）又消失了。所以，總括來說初步檢驗並沒有發現任何嚴重問題，我們如釋重負。

　　數月後，黃先生如期到來覆診，那時他又多了幾個新問題：他消瘦了很多、心口常常隱隱作痛、手腕也提不起（Wrist drop）、更有點皮膚紅疹。噢，大件事難道他不單只是哮喘，而是患上查格施

特勞斯氏綜合症（Churg-Strauss Syndrome）[1]？那是一種自體免疫性的疾病，會導致中小型血管炎，它的前驅症狀（Prodrome）正正是哮喘病狀和過敏性鼻炎。第二階段的特徵是異常高的嗜酸粒細胞（hypereosinophilia），那會導致組織受損，如肺部和心臟。第三階段包括血管炎，最終可以引致細胞死亡，甚至致命……！大病——「梗係向類風濕病專家（Rheumatologist）英一姐求救啦」「喂！師姐、咪走得咁快，有野問呀……」

難題總是接踵而來，一不離二；另一位哮喘病人雍生（假名）因氣喘發作入了院；最初他的病徵跟一般哮喘發作沒有分別：咳、氣喘、喘鳴，但他有發燒和吐出深色的痰涎，再加上他的肺部 X 光片（CXR）有點「花」，所以順理成章診斷為肺炎及哮喘急性發作處理，而雍生的鼻敏感徵狀也同時變得很差。他雖然經過了幾天住院的治療，情況沒有太大改善，實在令人費解。

經過黃生一役後，我們的處理當然精進了，特別想想有沒有其他病症（Differential diagnosis）的可能性。我們再三查問後，雍生的確除了呼吸系統外，沒有其他病徵（extra-pulmonary symptoms）；我唯有還原基本步，再細看他的檢驗報告，試看看有沒有甚麼頭緒……

「唔係掛？」他一樣有嗜酸粒細胞增多（Eosinophilia），而且去到 3000/μL ！我再細看多幾張他以往肺部的 X 光片，發現他在不同時刻，X 光片顯示有不同的陰影，最重要是他有不尋常的中央支氣管擴張（Central Bronchiectasis），那種支氣管擴

張分佈模式是極不常見。剛巧傳染科的「成龍」醫生經過，我立即靈機一觸，難道那是罕有的感染——過敏性支氣管肺曲霉病（Allergic BronchoPulmonary Aspergillosis，ABPA），我隨即「火速地」去檢驗雍生的 Total IgE，IgE-Af 同 IgG-Af 及皮下測試（skin prick test to Af antigen），再安排他接受高解像胸腔電腦掃描（HRCT thorax），所有的檢查結果果然符合過敏性支氣管肺曲霉病的診斷[2]。

　　過敏性支氣管肺曲霉病是機體對曲霉抗原的過敏反應，為過敏性支氣管真菌病中最常見和最具特徵性的一種疾病，急性期主要徵狀有喘息、咯血、黏膿痰、發熱、胸痛和咳出棕色痰栓。急性期徵狀持續時間較長，往往需要激素治療半年才能消退，少數病例演變為激素依賴性哮喘期。那時我們給雍生處方了較高劑量及較長期的類固醇（激素）。那次可以説醫生和病人都「好好彩」，因為那種病並不常見，其病徵跟一般哮喘也無異樣，要作出正確診斷就要靠醫生臨床仔細的觀察、查證及高的臨床警覺性（clinical suspicion）。若果不能及早對症下藥病人的肺部最終可能演變成末期纖維空洞（end stage fibrocavity）！

　　今時今日做醫生實在困難，隨時都會「走漏眼，就老貓燒鬚」。

參考文獻：
1. Churg–Strauss syndrome. Autoimmunity Reviews 14 （2015）341–348.
2. allergic bronchopulmonary aspergillosis. Clin Chest Clin Med 2012;33:265-281.

第十三章

哮喘病與負面情緒

　　阿花（假名）剛從深切治療部（ICU）轉到我工作的病房接受治療。她自幼便有哮喘病，是我們舊有的哮喘病人，她已不是第一次哮喘發作而入院治療，不過她的病情嚴重到需要「插喉」（Intubation）及在深切治療部（ICU）治療，那還是首次，所以，大家十分擔心她的健康。雖然阿花只是個二十歲的女孩，但她比同齡的年青人成熟得多，也許她經歷了太多病患及苦難有關。

　　同事當然嚴陣以待：由最基本的病歷、病徵、誘因、同時出現的併存病（comorbidities）、用藥份量及使用藥物吸入方法（inhalation technique）等等重新檢視一番。還是 APN（Advanced Practice Nurse，即等同以往護士長的職級）「易拎」姑娘最細心，察覺到阿花有點情緒低落（depression）。初時各同事都以為阿花剛走出死門關，所以情緒有點低落並不出奇。可是，阿花的情緒越來越明顯有問題，憂慮之情更形於外。探病時間經常看到她的父母為著阿花的病在病房內引起爭執，情況開始有

點複雜，所以我迅速邀請臨床心理學家（clinical psychologist）支援。

粗略估計，世界各地每250個死亡個案中，就有一個是由哮喘病發引致的[1]。每年全世界約總共有100,000人死於哮喘病發[2]。從現代醫學角度看，絕不能輕看哮喘病的危險性！早在70年代醫學界就已經發現憂慮、抑鬱情緒可能引發喘鳴[3]及加劇哮喘病情[4]；病人的心理因素可能令醫護人員在判斷哮喘病情（worsening asthma）上有混亂，舉例說：憂慮症的病徵可能被誤診為哮喘病失控，因而令醫生處方更高劑量的氣管擴張藥，這樣轉過頭來過重的藥又會加劇憂慮症的徵狀[5]。無可否認氣喘確實是憂慮症中最常見的身體反應[6]，另一方面哮喘又實實在在添增病人患上憂慮症的可能[7]，真是「累鬥累」。那病（near fatal asthma）有可能對家人的關係（family dynamic）有不良的影響[5]。哮喘病人的心理狀態可以是兩極化：「hopeless dependency」——完全絕望地依賴醫護人員；或相反地「inappropriate excessive independence」——拒絕承認自己患病的事實不依從醫護人員的指示[8]。毫無疑問這種自我否定及逃避行為（denial of asthma severity）會引致延醫的危險後果。

哮喘近乎致命個案（near fatal asthma）永遠是病人和醫護人員的大敵，雖然嚴謹的科研和系統評估不能確認心理因素直接影響、造成哮喘病致命或近乎致命（fatal or near fatal asthma）[9]，但病人和醫護人員對任何可能性都不能錯過。大家齊齊聯手對抗、不讓任何人或事再辣手摧「花」。

參考文獻：

1. The global burden of asthma: executive summary of the GINA Dissemination Committee report. Allergy 2004; 59: 469–478.
2. Guidelines for the Diagnosis and Management of AsthmaExpert Panel Report 21997Publ No 97-4051.
3. Emotional laryngeal wheezing: a new syndrome. Am Rev Respir Dis 1983; 127: 354– 356.
4. Demonstration by placebo response in asthma by means of exercise testing. J Psychosom Res 1973; 17: 293– 297.
5. Psychological defenses and coping styles in patients following a life-threatening attack of asthma. Chest 1989; 95: 1298–1303.
6. Emotional influences on breathing and breathlessness. J Psychosom Res 1985; 29: 599–609.
7. Psychobiological aspects of asthma and the consequent research implications. Chest 1990; 97: 628–634.
8. Psycho-maintenance in asthma: hospitalization rates and financial impact. Br J Med Psychol 1980; 53: 349–354.
9. a systemic review of the psychological risk factors associated with near fatal asthma or fatal asthma. Respiration 2007;74:228-236.

第十四章

三伏天灸對哮喘病有用嗎？

　　數年前筆者曾參與一個特別的社區健康教育活動，我負責從西方醫學角度講解哮喘的成因及治療，同時大會亦安排中醫師替現場參加者進行三伏天灸（Sanfujiu）；有不少同業對中西醫同場出現有所保留。

　　「天灸療法」是以中醫學「冬病夏治」理論為依據的一種傳統保健療法，針對冬天容易發作的復發性疾病，提早在夏天作預防性治療，以減低冬天的發病機會。「天灸療法」是在三伏天，即一年中陽氣最旺盛的時候進行，方法是將中藥敷貼於特定的穴位上，通過藥物的刺激和吸收，疏通經絡、平衡陰陽及調理臟腑，從而達到冬病夏治的目的。天灸法的臨床應用：治療哮喘、治療過敏性鼻炎及慢性支氣管炎等慢性頑固呼吸系統疾病。

　　香港中文大學[1] 於 2010 年曾作出一個有 323 位哮喘病人參與的研究，將病人分成兩組，一組（165人）接受三伏天灸（summer Acupoints Herbal Patching, AHP），另一組沒有。跟進研究發現前

者較沒有接受三伏天灸的病人較少需要用緩解藥（rescue medication）及較少於天曉時分因哮喘弄醒（both P<0.05）。

2016 年亦有大型的薈萃分析（meta-analysis）[2]發表天灸（AHP）在哮喘治療上的功效：它分析了 1287 個病人，發現天灸能提升病人的肺功能（FEV1）13% 及減少了哮喘病徵 60%（risk ratio of unchanged or getting worse symptoms with AHP=0.4）。台灣學者多年前作過小規模的研究（只有 105 位病人），初步發現有六成病人在接受三伏天灸的一年後仍然有效，以年青人（十九歲以下）及哮喘病人反應最佳[3]。另一個薈萃分析（meta-analysis）[4]亦証實天灸能減少過敏性鼻炎翻發的機會（Recurrence rates at 6 months compared with western medicine, RR =0.52）。那分析共有 2438 位病人，由此看來天灸在現代醫學上亦有一定的實証支持（Evidence based）。

無獨有隅一攤「三伏」是詠春派的招牌手法——那用法除了從直線把中線中路的來手「迫開」外，其另一用途則是把來手「管著」，即不讓來手繼續向前擊出，也不讓其縮回，使對方由主動之勢而變成被我控制。詠春派的伏手（監控作用）有點像三伏天灸，遠在夏天就準備預防冬天的哮喘病發作（敵人即將發動的進擊）。其實，伏手並不是全然消極，它可變成索手（把對方橋手索／拉回來、再作攻擊）；伏手亦可轉化在對方橋手上成掌背擊（撻掌）——所謂「橋來橋上過」。這樣看來，中國的傳統醫學和武學都同樣注重攻防的。

參考文獻：

1. Randomized trial of acupoints herbal patching in Sanfu days for asthma in clinical remission stage. Clin Transl Med 2015 Dec;5(1):5.

2. Acupoint herbal patching for asthma: a systemic review and meta-analysis of randomized controlled trials. Medicine(Baltimore) 2016 Jan;95(2):e2439.

3. Efficacy of Sanfujiu to Treat Allergies: Patient Outcomes at 1 Year after Treatment. eCAM 2006;4(2)241–246. doi:10.1093/ecam/nel082.

4. Acupoint herbal patching for allergic rhinitis: a systemic review and meta-analysis of randomized controlled trials. Clin Otolaryngol 2015 Dec;40(6):551-68.

第十五章

典型抑或非典型肺炎？

　　三十多歲的王小姐（假名）最近患了嚴重的感冒，病情幾星期來一直沒有好轉。最終因為發高燒而需要入院治療；她的肺部 X 光片都「花」了一大半這次真是不得了，她不單患了感冒，更有併發症——肺炎。所以，大家馬上替王小姐抽取鼻咽分泌物（nasopharyngeal swab）作病毒分析（RT-PCR for Influenza virus），結果顯示她正正患上了甲型流感，更可能是近期最流行的 H1N1，所以我們火速地替王小姐處方抗流感藥。

　　她的肺炎是典型抑或非典型的呢？感冒後細菌性的肺炎（postinfluenza bacterial pneumonia）是一個絕不能放過的可能性，金黃色葡萄球菌（Staphylococcus aureus）及肺鏈球菌（Streptococcus pneumoniae）就是那兩大元兇[1]，其死亡率甚高，有見及此，須處方特效的抗生素加以對抗。由於病人甚為年青，由支原體（Mycoplasma pneumoniae）引發的非典型肺炎亦不能不防，所以我們亦給予第三種抗菌藥——大環內

酯類（Macrolide）給王小姐；更安排化驗她的鼻咽分泌物，以確定她有沒有支原體抗原（Mycoplasma pneumoniae PCR）。

翌日，王小姐不但沒有好轉，她的神智更變得模糊，難道她的感冒病毒「上腦」引發腦炎（Viral encephalitis）？我們立即安排她進行腦掃描（CT Scan Brain），結果一如所料，沒有異樣；因此我們隨即替她進行腰椎穿刺（Lumbar puncture）。化驗結果証明了我們的臨床診斷——流感引發她患上腦炎。那是少見但極其嚴重的併發症[2]，幸好她沒有癲癇發作（seizure）[3]，我們迅速邀請了神經學家（neurologist）及傳染科同事對王小姐進行匯診。

根據香港衛生防護中心（CHP）資料顯示[4]：截至 2016 年 3 月 2 日，本港共錄得 154 宗成人嚴重流感個案，包括 49 宗死亡個案。同期亦錄得 10 宗兒童流感相關的嚴重併發症或死亡個案（包括 1 宗個案死亡）。今年的季節性流感病毒，以甲型（H1）為主。其實世界各地的流感個案亦大都在上升中。在 2003 年沙士（SARS）一役後，香港醫學界醒覺到非典型肺炎（由支原體（Mycoplasma pneumoniae）；衣原體（Chlamydia）；軍團菌（Legionella）引發）[5]並不是想像中那麼罕有，因此現在我們大都會給需要入院的肺炎病人處方兩種抗生素，對典型及非典型的肺炎來個「大包圍」，即是「有殺錯冇放過」。

由於流感（Influenza）會破壞人的抵抗力（Innate and adaptive antibacterial host defenses）， 第 二 波的細菌性肺炎（bacterial superinfection）時有出現[6,7]，其中抗藥性金黃色葡萄球菌（communityassociated methicillin-resistant and PVL-producing Staphylococcus aureus）[1,8] 最為棘手。近年來，抗藥性支原體（Mycoplasma pneumoniae）肺炎亦越來越普遍 [9]，在內地更為嚴重，以往曾經有病人因流感引發至急性呼吸窘迫綜合症（Acute Respiratory Distress Syndrome），間中我們替病人「插喉」用機器呼吸（invasive mechanical ventilation）也不能足以支援他們，幸好這幾年來醫學界引入了體外膜肺氧合（Extracorporeal Membrane Oxygenation;ECMO）[10] 來幫助那些患者。

「典型」（Typical）的疾病有時候表現得「不典型」（Atypical）；而非典型的疾病亦不是我們想像中罕有（atypical disease actually not so atypical or uncommon）。

其實，世事同樣不是單單典型（Typical）或非典型（Atypical）那麼容易來分辨的。典型的好學生是星期一至五返學，放了學就去補習，星期六同日就去參加形形式式的興趣班，總要塞滿了每分每秒，考試要在頭五名之內。典型的家長是為下一代安排一切，如每日行程，讀什麼名校，建議做什麼職業最「搵錢」。典型就是大家都認同的行為模式和價值觀；喜愛體藝科目不喜愛傳統教學的學生就是非典型，「無前途」；讓下一代自由發展自己興趣的就是非典型家長。典型還是非典型更優勝？我不知道。近半年香港已有十九個青少年輕生，社會上每一個人都要反省，不是大部份人做的，我的孩子都要跟着做，非典型那又如何？誰也不想自己的孩子是第二十個輕生！

參考文獻 :

1. Novel pandemic influenza(H1N1)and community associated methicillin resistant staphylococcus aureus pneumonia. (review) expert review of antiinfective therapy 2015;13(2):197-207.

2. Acute encephalopathy and encephalitis caused by influenza virus infection (review) Current opinion in neurology 2010;23(3):305-11.

3. Neurological complications of pandemic influenza A H1N1 2009 infection: European case series and review. European Journal of Pediatrics 2011;170(8):1007-15.

4. Flu express, Center for health Protection, Hong Kong http://www.chp.gov.hk/tc/guideline1_year/29/134/441/304.html

5. The role of atypical pathogens in community acquired pneumonia. Seminars in respiratory & critical care medicine 2012;33(3):244-56.

6. Influenza and bacterial superinfection: Illuminating the immunologic mechanisms of disease. Infection & Immunity 2015;83(10):3764-70.

7. The co-pathogenesis of influenza viruses with bacteria in the lung. Nature Reviews. Microbiology 2014;12(4):252-62.

8. Pathogenesis of staphylococcus aureus necrotizing pneumonia: the role of PV and an influenza coinfection. Expert review of antiinfective therapy 2013;11(10):1041-51.

9. Macrolide resistant Mycoplasma pneumonia: characteristics of isolates and clinical aspects of community acquired pneumonia. Journal of infection & chemotherapy 2010;16(2):78-86.

10. Extracorporeal membrane oxygenation fore severe respiratory failure in adult patients: a systemic review and meta-analysis of current evidence. Journal of critical care 2013;28(6):998-1005.

第十六章

為甚麼藥廠甚少研發新肺癆藥？

　　若果讀者與筆者年紀相約，那麼你對「咳聲、雨聲、小提琴聲」的情景一定會有某些聯想，即粵語長片中的張活游或吳楚帆先生在咳血！那些六七十年代的粵語影片確實反映當時民生百態——肺結核病（Tuberculosis）非常流行。結核病是一個非常古老的疾病，在古埃及的木乃伊身上也找到結核病的病變。在這些粵語影片中，患上肺癆病（肺結核/Tuberculosis）的都是劇中的草根角色、貧病交迫的悲情人物。肺癆病一向被視為窮人病，那麼今時今日的香港那麼富裕，肺癆病應該絕跡了。可惜事實並非如此，每天仍約有不少肺癆病人在各大醫院接受治療。無錯在香港六十年代每十萬人中就有約三百五十人患上肺癆病，到了二千年後已下降為每十萬人只有八十人有肺病，死亡率亦由每十萬人有四十多個案下降至少於四人[1]。

　　不過不變的是貧窮在廿一世紀仍是個患上肺癆病的高危因素[2]。居住問題一直困擾著大部份香港人，樓價之高令人吃不消，當然你的居住環境與你的經濟

能力有關。本地研究發現住在公共屋村的人比住在私人樓宇的較容易患上肺癆病。而住在較高層的（當然樓價也較高）卻比住在低層的有較少風險中招 [3]。吸煙的肺癆病人通常會有更廣泛的肺部感染及氣穴（cavitation），而對藥物的反應及成效也較遲緩 [4]。在家中接觸到二手煙同樣有可能誘發肺癆病 [5]。

近年常說香港有深層次矛盾：來自大陸的新移民往往成眾矢之的，連高企的結核病病發率也推到他們身上。其實其他亞洲的新移民患上肺癆的機會遠遠高於來自內地的新移民 [6]，偏見往往令人判斷失準。其他疾病及其治療方案其實也影響著這古老的疾病：如愛滋病人（AIDS）的肺癆病會常有非典型的病徵及較多機會有抗藥性 [7]。用於類風濕關節炎的類固醇或 Tumour Necrosis Factor（TNF）blocker 一類的藥物也會大大增加中招的可能性 [8]。

第一種肺癆藥 Streptomycin 於 1943 年面世，可惜近年來沒有什麼新肺癆藥出現。相反新的醫治愛滋病藥物卻不斷面世。終其原因肺癆病確是窮人病，很多國家連現有的肺癆藥也買不起！那麼藥廠怎會投資大量金錢去研發新的肺癆藥呢？主要用家都無能力去買；相反最多愛滋病人的西方國家卻「大疊水」去買新的愛滋病藥。藥廠往往主導了科研，這是不爭的事實。

很多人把口恥笑吳楚帆先生的名句：「我為人人、人人為我」。認為現世代應該是人不為己天誅地滅。但有誰心底裡不想或不嚮往那我為人人、人人為我的真、善、美呢。那些散發正能量的影片絕對不是什麼粵語殘片，極其量是粵語舊片而己。只要是美和善，那有分新和舊！

參考文獻:

1. Centre for health protection. http://www.chp.gov.hk
2. Neighbourhood risk factors for tuberculosis in Hong Kong. International Journal of Tuberculosis & Lung disease. 2010;14(5):585-92.
3. Exploring tuberculosis by types of housing development. Social Science & Medicine. 2013;87:77-83.
4. Smoking adversely affects treatment response · outcome and relapse in tuberculosis. European Respiratory Journal. 2015;45(3):738-45.
5. Passive smoking and tuberculosis. Archives of Internal Medicine 2010;170(3):287-92.
6. Immigrants and tuberculosis in Hong Kong. Hong Kong Medical Journal 2015;21(4):318-26.
7. The epidemiology and clinical manifestation of human immunodeficiency virus associated tuberculosis in Hong Kong. Hong Kong Medical Journal2010;16(3):192-8.
8. Risk of tuberculosis in patients with rheumatoid arthritis in Hong Kong-the role of TNF blockers in an area of high tuberculosis burden. Clinical & Experimental Rheumatology 2010;28(5):679-85.

第十七章

治療年輕人與老年人「爆肺」大相逕庭

今個復活節假期我如常回到醫院工作，踏入病房就見到一老一少病人，他們都是因患有氣胸（Pneumothorax）而在醫院渡過這個長假期。氣胸（又稱肺膜穿或「爆肺」），指氣體不正常地進入胸膜腔，導致肺葉與胸壁分離，形成積氣狀態，更可能影響患者呼吸。

年輕的那位叫康仔（假名），他是個不折不扣的「陽光」男孩，外型「黑黑實實」及身高六尺，很多年青的氣胸病人都有那類身型。他原本計劃復活節假期到泰國學習潛水，誰知就在假期前，他就因原發性氣胸（Primary pneumothorax）入院，由於他的氣胸不算大，所以我們採取保守的治療法就可以了；不過他現時絕不可以乘搭飛機，否則他的氣胸會因氣壓改變而澎脹多 30%，構成即時危險[1]，潛水當然一樣免問。康仔只好苦嘆：「今個假期無得飛天下海囉」躺在他隔離的黃伯（假名）也「幽他一默」：「哈哈！即係無得做鐵金鋼。留低陪下我啦！」康仔緊張地追

問他何時才可以搭飛機去旅行及進行他最喜愛的水上
活動呢？

英國胸肺學會（British Thoracic Society）[1] 建
議患有氣胸（Pneumothorax）的病人要等氣胸完全
消除後七天才可以乘搭飛機，但 Aerospace Medical
Association Medical Guideline Task Force[2] 則 認
為要等多兩至三個星期才安全。實際上，一般航空公
司更加保守，通常不會接受在六星期內曾患有氣胸的
客人訂機票 [3]。嚴格來説，那些本身有肺病史的氣
胸病人，一年內都有相當高機會再「爆肺」（氣胸
（Pneumothorax））[1]。看見康仔與其上網打機，
我提議他不如上網看看關於氣胸與旅遊的文獻 [4]。其
實旅行可以乘搭遊輪，豈不是更浪漫嗎？算了吧！那
不是年輕人的一杯茶。

相反，黃伯是個八十多歲有慢性阻塞性肺病
（COPD）的老人家，他因為不幸患上繼發性氣胸
（Secondary pneumothorax）而需要入院；他本身
有慢阻肺病再加上有較大氣胸，因此他需要插導管放
氣（即胸廓造口術，又稱為胸腔管手術、胸腔閉式引
流術 chest drain insertion & drainage），方法是插
入一根導管，接入液封引流瓶，以抽出胸腔內部的
空氣，以使肺部重新張開；可是，他氣胸漏氣（air
leakage）的情況經過了兩個星期仍沒有改善。遇到
那情況，我們會提議年青的病人做手術即外科肋膜
黏連術（Surgical pleurodesis），但對於老人家，
我同意胸肺外科的同事拒絕替黃伯做手術，因為風險
太高了。以往當這類病人（繼發性氣胸）的漏氣停
止，我們就會替他們進行「黐肺」，即化學肋膜黏連

術（chemical pleurodesis）來減少再次病發[5]。肋膜黏連術是利用化學物質，來刺激炎症，達到修補肺膜的效果，簡單來說，好像將膠水注入胸腔令兩面肺膜「黐埋一齊」。但間中我們也會替仍然漏氣中的氣胸病人做「黐肺」程序，行內叫「硬黐」。可惜，那一招在黃伯身上完全無效，現在唯有寄望最新的技術 —— Endobronchial Valve（EBV）Implantation；那就是透過內窺鏡技術，把極精巧的活門放入氣管來塞住漏氣之處[6]，讓傷口好好縫合，大約 4 至 6 星期後，再取出活門（EBV），不過，不是每一次都成功，而且那方法只能解決那次氣胸（Pneumothorax），並不像「黐肺」（chemical pleurodesis）有預防氣胸再次病發的功能。

從某一角度來說，氣胸可以說只是很簡單的疾病：一個缺口——一個在肺膜（pleura）上的傷口；但它若然久久不愈合，一直「漏氣」的話，卻可以十分惱人，黃伯就是個好例子。同樣，若人與人之間或社會上群體之間有了缺口；甚或傷口，我們又不盡早設法去復和，後果可以更嚴重，那麼下次香港可能出現不只是「掟磚」事件，而是……人病了要盡早治理、社會病了更要盡早對症下藥。

參考文獻：

1. Managing passengers with stable respiratory disease planning air travel: British thoracic society recommendations. Thorax 2011;66:i1-30.
2. Aerospace Medical Association Medical Guidelines Task Force. Medical guidelines for airline travel2nd ed. Aviat Space Environ Med. 2003; 74 (suppl 5): A1-A19.

3. Flying with Respiratory Disease. Respiration 2010;80:161–170.
4. Air Travel and Pneumothorax. CHEST 2014; 145(4):688–694.
5. Chemical pleurodesis for spontaneous pneumothorax. Journal of the Formosan medical association 2013;112(12):749-55.
6. Endobronchial valves in treatment of persistent air leaks: a systemic review of clinical evidence. Medical science monitor 2015;21:432-8.

第十八章

眾裡尋他（肺癌）千百度

陳伯（假名）最近咳得很厲害，「暴瘦」了二十多磅，而且全身骨痛，在家人多次催促下，他終於願意求診。由於他是個八十多歲的「資深」煙民，所以家庭醫生立即安排他照肺部 X 光，結果發現了他有一個幾寸大的「陰影」！最大的可能性是他患上肺癌；陳伯的家人同意再替老人家做正電子電腦掃描（PET-CT），最後証實他不幸患上肺腫瘤（radiological），而且擴散多處，是末期肺癌。他家人傷心不已及怪責自己以往沒有定期帶陳伯驗身，沒有及早察覺他患上癌病。

肺癌是香港第一號癌症殺手，根據世界衛生組識（WHO）2012 年估計，全球約有一百五十多萬人死於肺癌。肺癌的五年存活率（5 year survival rate）只有百份之十五，就算早期肺癌的病人做了徹底的手術後，他們的五年存活率（5 year survival rate）亦只有百份之六十至八十。因此醫學界從六十年代開始，就希望用各種方案，能盡早篩查到早期肺癌病患者，並加以根治。單憑肺部 X 光結果作篩查工具，效果不彰。

後來，直到低量電腦掃描（low dose CT scan）普及化，才有突破：美國的 National Lung Screening Trial（NLST）[1]研究了 53,454 個 55 至 74 歲的人士，他們都是現時或以前是長期煙民。研究人員將他們分成兩組：第一組人每年都安排低量電腦掃描（low dose CT scan）（26,722 人），為期三年；另一組（26,732 人）則只做簡單的肺部 X 光檢查。結果發現：電腦掃描比肺部 X 光檢查更能有效地找出肺癌（Rate ratio,1.13; 95% confidence interval（CI），1.03 to 1.23），由於能及早作出適當治療，用電腦掃描作篩查工具的那組肺癌病人最終有相對較少的死亡率（約 20 個百份比）。那是個令人鼓舞的發現，但那種篩查工具同樣有它的隱憂，就是電腦掃描過於敏感，因而連無關痛癢的陰影也顯現出來，也即是説虛假陽性（A total of 96.4% of the positive screening results in the low-dose CT group and 94.5% in the radiography group were false positive results），那現象不但可能帶給那些原本「正常」的人受到不必要的壓力和憂慮，亦可能令他們做了一些不必要甚或具入侵性的檢查（invasive procedures）。由於那個研究只包括那些高危人士（如長者或長期吸煙者⋯⋯）；其他組群應用電腦掃描作篩查工具，又能不能有如此明顯的功能呢？醫學界現正積極去研究那關鍵的問題，所以現在大部份國家仍未落實大規模使用電腦掃描作肺癌篩查。眾裡尋他千百度與肺癌篩查分別之處：前者「講」緣份，後者則「講」科學或然率（probability）。

最終陳伯與眾子女一同來聽取我的意見，

由於老人家長期吸煙已患上嚴重慢性阻塞性肺病（COPD），若進行入侵性檢查（invasive procedures）來抽取腫瘤組織（tissue biopsy），而又不幸引發病人出現氣胸（pneumothorax）的話，恐怕他會有嚴重的後果，要算能「無驚無險地」取得組織作診斷（tissue diagnosis），進行治療，極其量只能延長他的壽命，而不可能根治他已擴散的肺癌。在一片死寂中，陳伯卻從容地説：「我已經八十多歲了，兒孫滿堂，心滿意足，生有時，死有時，不要強行做什麼，順其自然吧！」所以大家也尊重他的意願，不作任何入侵性檢查。離開診症室前，他家人問我陳伯需要戒口嗎？我肯定説：絕對不需要！盡情享受美食吧！

參考文獻：
1. The National Lung Screening Trial Research Team. Reduced Lung-Cancer Mortality with Low-Dose Computed Tomographic Screening. N Engl J Med 2011;365:395-409.

第十九章

診斷肺癌殊不簡單

　　何伯（假名）近來感到右肩及右手極為疼痛，他看了幾次「跌打」醫師也沒有好轉，連敷跌打藥的患處也開始有點敏感，所以他轉向骨科醫生求診，初時同業只將何伯當作老人家的「五十肩」來診治，但當止痛藥效用過了，伯伯又迅速感到痛楚，醫生細心檢查後，發現何伯右手掌的小肌肉萎縮了，其他部位也開始痛起來，還有些紅疹，難道何伯對止痛藥敏感？所以，骨科醫生安排伯伯照 X 光，看看有沒有甚麼線索可尋；醫生無意中發現右肺尖上有一個陰影，因此轉介他給我作進一步檢驗：那一個陰影是肺癌抑或只是肺癆病呢？

　　奇怪的是何伯一點咳嗽和痰涎也沒有，不過我仔細檢查伯伯後，就發現他的右眼眼皮下垂，瞳孔縮小，那是典型的霍納綜合症（Horner syndrome），而那些紅疹只分佈在手背上，又不太像藥物敏感。其實，何伯除了右肩外，其他大肌肉（Proximal muscle）也明顯很弱，綜合來說，他的情況不是肺癆或五十肩。病人願意盡快找出原因，所以自費安排正電子電腦掃

描（PET-CT scan），結果証實他有一個相當典型的「肺尖癌」（Pancoast tumour）[1] 而不是肺癆病。

肺尖癌，又稱肺上溝癌、「潘科斯特綜合症」。上溝癌作為肺癌的一種常以肩痛為主要癥狀。包繞肺的頂端（即肺尖）的地方，形成了胸壁的一個特殊區域。來自頸部、支配上肢的感覺和運動的神經纖維均經此區進入上肢。因而，若肺上溝癌腫瘤侵至此區，往往會感到受累側上肢的疼痛、乏力。肺上溝癌癌腫常壓迫頸交感神經引起同側瞳孔縮小，上眼瞼下垂，額部汗少等霍納（Horner）綜合症，壓迫臂叢神經引起同側肩關節、上肢內側劇烈疼痛和感覺異常，當侵蝕及破壞第一、二肋骨時引起局部壓痛。由於腫瘤位於肺部邊緣，所以病人沒有明顯的咳嗽、痰涎或咳血，腫瘤反而影響到患者的神經線，所以病人會首先因手痛、手痺向骨科或腦科醫生求診。因此，當病人「兜兜轉轉」最終到達呼吸科或腫瘤科求醫時，腫瘤已侵蝕了附近的組織，成為第三期 B 肺癌了。

醫生如果根據電腦掃描所顯視的腫瘤位置進行組織活檢（tissue biopsy）的話，可考慮使用細針抽吸（fine needle aspiration）方案。但 PET CT 同時亦照出病人有幾個稍微漲大及標準攝取值（standard update value, SUV）稍強的縱隔淋巴核（Mediastinal lymph nodes），目前 SUV 已被廣泛用於鑒別腫瘤的良性或惡性，不過唯有當 SUV 數值是兩極，醫生才能較肯定腫瘤是良性抑或惡性，若果 SUV 值只是輕微上升，那可能只是感染，尤其是結核菌（tuberculosis）一樣可以引起類似的 SUV 值。所以，最後我們還是使用支氣管超聲波

（Endobronchial ultrasound，EBUS）及細針抽吸
（transbronchial fine needle aspiration，TBNA）
來檢查那些淋巴核是否已有擴散了 [2]。

　　但那些遲遲不退的紅疹又是什麼呢？與藥物
抑或腫瘤有關呢？我無意中發現何伯的肌肉酵素
（Creatine Kinase）水平極高；剛剛擦身而過的類
風濕科醫生「Sandy 姐搭咀」説：「會不會是皮肌炎
（Dermatomyositis）呢？」皮肌炎屬自身免疫性結
締組織疾病之一，是一種主要累及橫紋肌，呈以淋巴
細胞浸潤為主的非化膿性炎症病變，可伴有或不伴有
多種皮膚損害，也可伴發各種內臟損害。這時我想起
文獻時常提醒我們，每當遇上皮肌炎病人，必定要排
除病人同時身患腫瘤；而肺癌正是最常與皮肌炎扯上
關係的腫瘤 [3]。那常見的配搭（lung cancer related
Dermatomyositis）以男性和吸煙人士為主 [4]，有些
病例則是先有了皮肌炎，幾年後病人才患上肺癌。

　　何伯病例有幾點「刁鑽」的地方：

1. **肺尖有陰影**：在香港這個肺癆十分普遍的地方，肺
   癌與肺癆病都應在考慮之列。

2. **肺尖瘤（Pancoast tumour）**：最初病人只有肌肉及
   神經線疼痛的病徵，卻可能完全沒有呼吸系統的病徵。

3. **只有不大不小及 SUV 稍強的縱隔淋巴核**：那有沒有
   擴散呢？抑或只是普通的感染所致？

4. **出現的紅疹是否與止痛藥抑或腫瘤有關呢？**

　　整個病例的確撲朔迷離，我可以總結：「要準確
診斷肺癌殊不簡單！」

參考文獻:

1. Pancoast tumour: a modern perspective on an old problem. Curr Opin Pulm Med 2013;19:340-343.
2. Endoscopic ultrasound guided fine needle aspiration in the diagnosis and staging of lung cancer and its impact on surgical staging. J Clin Oncol 2005;23:8357-8361.
3. Skin manifestations in visceral cancer. Curr Probl Dermatol 1978;8:1-168.
4. Primary lung cancer associated with polymyositis/dermatomyositis with a review of the literature. Rheumatol Int 2001;20:81-84.

第二十章

治療肺癌之道—海納百川、大道至簡

　　李先生（假名）和洪伯（假名）都是最近被診斷患上肺癌。李先生相對年青及健康，但他的腫瘤不幸是生在主氣管（trachea）附近，造成相當程度的氣道阻塞，因而李先生經常感到氣促和咳血，由於腫瘤的位置特殊，莫說根治此症，就算嘗試舒緩病情，亦相當棘手。由肺癌造成主氣道阻塞，其實並不罕見[1]，氣道支架是一個有效舒緩方法[2]，所以，我們轉介了李先生到胸肺外科作進一步醫治。

　　而洪老伯雖然只是患上最早期的 stage IA 肺癌（Adenocarcinoma），手術本應是根治那些早期肺癌的最好方法，但可惜他是個差不多九十歲及患有高血壓、糖尿病和冠心病的長者。高齡病人在手術後，往往有很高的死亡率[3]，所以，間中胸肺外科醫生也只替高齡患者作最少的切除手術[4]。雖然洪老伯的肺癌是早期的，但他多種的併存疾病，令他做任何手術，甚或化療都不合適，亦即是我們醫學上所稱 Medical inoperable，意思是指病人因內科病的因素而不適宜動手術。

由於電療可能對非常早期的肺癌有一定效果[5]，所以我邀請了腫瘤科同事作出匯診，但可惜腫瘤太接近食道，電療可能引發非常嚴重食道粘膜炎（mucositis），因此腫瘤科同事亦不贊成這方案。那麼現時流行的標靶治療可能是另一條出路，現行的標靶藥 Tyrosine Kinase Inhibitors 對那些有腫瘤病變（EGFR: Epidermal Growth Factor Receptor, EGFR mutation）的肺癌能起非常大的舒緩作用；但事與願違，病理科同事發覺洪伯的腫瘤沒有那種特徵，那些標靶藥對洪伯起不了甚麼作用。當大家都十分失落時，幸好病理科同事仍努力不懈，最後發現腫瘤卻有 Anaplastic Lymphoma Kinase, ALK gene rearrangement，亦即是説洪老伯可以嘗試另一種標靶藥[6]了。

從以上兩個病例，同一種病在不同人身上極有不同的發展，醫護人員需要按病人個別情況，選擇不同的處理方案：如手術、化療、電療、標靶治療、甚或氣道支架等。我的武術啟蒙老師──精武體育會的邵老師常常提醒我們，要多參詳各門派的特色，每種武術總有過人之處；不同派別在不同的獨特處境，可能最能發揮所長，能做到海納百川，才能成為真正優秀的武者；同樣優秀的醫護人員，要多認識各種醫學知識，各種獨特處境的治療方案。李小龍先生的截拳道主張格鬥時招式要直接、簡單、有效（cost effective）──大道至簡；同樣我認為優秀的醫護人員要為病人選擇簡單，安全，直接、有效的治療方案。醫學與武學其實亦有不少異曲同工之處。

參考文獻：

1. Airway stents. Clin Chest Med 2010;31(1):141–50.
2. Emergent management of malignancy related acute airway obstruction. Emerg Med Clin North Am 2009;27(2):231–41.
3. Ageism in the management of lung cancer. Age Ageing 2003;32(2):171–7.
4. Segmental resection spares pulmonary function in patients with stage I lung cancer. Ann Thorac Surg 2004;78(1):228–33 (discussion: 228–33).
5. The curative treatment by radiation therapy alone of Stage I non-small cell lung cancer in a geriatric population. Lung Cancer 2001;32(1):71–9.
6. Advances in target therapy in lung cancer. Eur Respir Rev 2015;24:23-29.

第二十一章

惡性肺積水絕不「上善」

　　周婆婆（假名）是一個末期肺癌的病人，她之前接受的治療效用不大，所以她只是間中看看中醫，舒緩一下病情而矣，其他有類似遭遇的病人，十居其九也會那樣做。不過，最近由於她肺癌引發肺積水（malignant pleural effusion），她變得容易氣促和胸悶。老人家患的不是小細胞肺癌（small cell lung cancer）所以化療及電療對她的肺積水是起不了大作用[1]，初期每當她的肺積水達到某程度，醫生就要收她入院抽肺積水（胸膜腔積液抽吸術／thoracocentesis），治療效果是好的，可惜她病情到了後期，她的積水累積速度很快，而她入院次數也變得很頻密，周婆婆開始覺得不大舒適及有些不耐煩，有一兩次抽肺積水後她的傷口還有點發炎[2]，令婆婆和家人都感到困擾。

　　醫生和她們商量治療方案後，周婆婆同意入院插導管放水（tubal drainage）及「黐肺」（pleurodesis）；文獻確立了「黐肺」（pleurodesis）對惡性肺積水（malignant pleural effusion）有相當

的效用[3]；其原理就好像我們小時做勞作一樣：將藥物經導管（chest drain）注入胸腔，令肺膜「黐埋一齊」，水份便不能再積存在兩個肺膜之間。可是，我們的「如意算盤敲不響」，婆婆每天所排出的肺積水達幾百毫升之多，如此大量排水會令「黐肺」（pleurodesis）不能成功的。幸好最近發明了一種像用來「洗肚」（peritoneal dialysis）的導管（indwelling pleural catheter），它是個柔軟的膠管，經小手術放進胸腔，每隔數天，我們替病人將導管接連到特製的真空容器，然後將肺積水吸出[4]；如患者經過訓練後，可回家自行排放肺積水，大大減少患者再入院來處理那個問題。不過，那種新式導管及特製真空容器是自費的，患者及其家人也要有相當程度「醒目」，才能掌握和處理導管出口的日常護理。有小數病人經過一段時間後，肺膜自動黐埋（auto-pleurodesis）不再出水。很多時候，惡性肺積水的患者病情已到達末期極惡劣時，也許舒緩治療比什麼「放水」、「插喉」（chest drain）和「黐肺」（pleurodesis）來得更為適切。

　　傳統智慧有之謂：「上善若水」；而李小龍先生的武學亦充滿禪機，他提出：「You must be shapeless, formless, like water. When you pour water in a cup, it becomes the cup. When you pour water in a bottle, it becomes the bottle……Water can drip and it can crash…」正好點出水可以是一種莫大的力量：剛柔相濟、滴水穿石、甚或洪水滅世。幾公升的肺積水也可令病人及醫護人員頭痛極了。水能載舟，亦能覆舟，世事總是如此，全在於人的一念之間。

參考文獻：

1. Isolated pleural effusion in small cell lung carcinoma; favorable prognosis. A review of the southwest oncology group experience. chest 1982;81:208-11.
2. Advanced malignant lung disease: what the specialist can offer. Radiation 2011;82:111-23.
3. Chemical pleurodesis for malignant pleural effusions. Ann Intern Med 1994;120:1556-60.
4. Malignant pleural effusion. Q J Med 2014;107:179-184.

第二十二章

血「膿」於水（上）─血胸

　　不久之前，有一位同事，Dr Young（假名）十萬火急來找我去看看一個患有氣胸（Pneumothorax）的病人，病人嚴先生（假名）是個四十多歲的男士，一向身體健康，沒有吸煙習慣，只是十多歲的時候，嚴先生患過肺癆病（Tuberculosis）而矣。由於嚴先生的原發性氣胸（Pneumothorax）頗大，因此，Dr Young 替他插入導管放氣──專稱為胸腔管手術及胸腔閉式引流術（chest drain insertion & drainage），方法是插入一根導管，接入液封引流瓶，以抽出胸腔內部的空氣，使肺部重新張開。但Dr Young 發現嚴先生有大量血水從胸腔管流出，年青的醫生當時嚇得魂飛魄散：驚怕導管插進了病人肺部？抑或弄破了血管（intercostal arteries）？

　　我來到嚴先生的病房後，馬上評估他的維生指標（vital signs），幸好他身體的數據都穩定，我迅速檢查了他胸腔管的出口及其運作，兩者並沒有異樣。臨床推斷，我相信導管沒有插進病人的肺部，否則病人沒可能那樣平靜。他肺部的血水不斷從導管流出來，我仔細

翻看他入院時所照的肺部 X 光片，發現他除了氣胸外，還有少量肺積水。當時，我們首要的任務是盡快找出胸膜腔積血（haemothorax）的原因及替病人止血。我們找 X 光部同事幫忙，他們迅速替嚴先生照了胸腔電腦掃描（CT Scan），証實胸腔管（chest drain）的位置是正確和合適，病人的肺部沒有受到任何傷害，不過仍未找出何處出血？

我們查看驗血報告，病人的血小板（platelet count）及血凝固指數（INR）亦沒有異常，但病人的情況，已經不能讓他再失血，否則，他會有生命危險。所以我們聯絡了胸肺外科醫生，他建議為病人立即動手術（Thoracotomy），找出血胸的原因。不久，手術室傳來消息，原來出血是來自病人的胸膜疤痕爆裂（rupture of pleural adhesions）。那胸膜疤痕（pleural adhesion）應該是病人早前所患的肺癆病而有的，而「爆肺」導致肺葉跟胸壁分離，因而就撕裂出那道疤痕。

翻查文獻，有 3-7% 的自發性血胸（Spontaneous haemothoraces）是由上述病理所引起[1]。開胸手術（Thoracotomy）是處理大量或持續胸腔出血[2]的有效方案。

作為內科醫生，我們甚少遇到創傷性血胸（traumatic hemothoraces），不過血胸可以由微不足道的創傷形成，有時連病人自己也忘記了那些意外。之前我遇到一位老婆婆因氣喘和腳腫入院，由於她本身有心房顫動（Atrial Fibrillation）和心臟衰歇（congestive heart failure），她需要長期服用薄血藥（warfarin），我替她做身體檢查時，發現她

右胸有一小幅瘀痕，再三查問婆婆最近有沒有「跌親」，她說應該沒有，她肺部 X 光片也沒有顯示任何骨折，但右胸卻有不少肺積水，我們替她驗血，她的血凝固指數（INR）正常，血色素（hemoglobulin）就跌了一兩度。她有肺積水、腳腫和氣喘，相信這一切應該是由她的心臟衰歇引致，因此我們處方更高劑量的去水藥（Frusemide）和去瘀膏給婆婆但過了數天，她的肺積水完全沒有改善，而血色素度數持續下降，我們找不到婆婆為何失血及在身體那裡出血？在探病的時間我遇到她的家傭問個究竟，才知道婆婆原來上星期在家中曾經失足撞向傢俱；一個服薄血藥的老人家，表面看來只是微不足道的踫撞（所以病人也忘記了），但可構成危險。我們隨即替婆婆抽出肺積水，果然那不是普通肺積水，噢！而是血胸（haemothorax）。有些病人會自費服用新一代薄血藥（novel anticoagulant），但那些藥物太新，有些時候連醫護人員亦未必察覺到病人正服用薄血藥，因而沒有考慮到血胸的可能性（differential diagnoses）。

我們在內科病房所遇到的血胸病例大多是繼發於胸部、全身性疾病或醫源性凝血功能紊亂，又稱非創傷性血胸（nontraumatic hemothorax）；血胸常常與氣胸同時發生，稱血氣胸（hemopneumothorax），大量血胸可將縱隔（mediastinum）推向健側，對側肺（contralateral lung）也受萎陷（compression collapse），以致大量失血和縱隔、肺部受壓迫，令患者呼吸困難和血液循環功能紊亂，病人甚至休克。如果病人沒有接受適切的治療，經一段時間後，血液

便凝固，附在胸膜上的纖維素和血凝塊便逐漸機化
（organize），形成纖維組織，覆蓋和束縛著肺部及
胸壁，限制著胸壁的活動幅度，壓迫著肺部的組織，
損害肺部的氣體交換功能。

　　另一方面，血液是細菌繁殖的良好培養基（good
culture medium），血胸未能及時處理，從胸壁或胸
內器官創口進入的細菌，容易引致胸膜腔感染形成膿
胸（thoracic empyema），因此，有專家建議要處方
抗生素來預防細菌感染[3]。治療血胸首要是盡快作出
正確診斷，進行胸腔管手術及胸腔閉式引流術（chest
tube drainage）。病情不穩定的病人要考慮是否需要
立即做手術；而病情穩定的，則可以先作檢查，如電
腦掃描（CT SCAN）和觀察[4]，才決定下一步治療方
案。

　　血濃於水是比喻父母與子女和親人之間的親情，血
比水濃，是何等的溫馨。但若果這個「血」膿於水，就不
可同日而語：血胸引發積膿於肺水，那就「大剎風景」了。

參考文獻：
1.　AACP pneumothorax consensus group. Management of
　　spontaneous pneumothorax. Chest 2001 Feb;119(2):590-
　　602.
2.　Thoracoscopic evaluation and treatment of thoracic
　　trauma. Sur Clin North Am 2000;80:1535-42.
3.　Role of prophylactic antibiotic for tube thoracostomy in
　　chest trauma. Am Surg 1998;64:617-20.
4.　Treatment of haemothorax. Respiratory Medicine
　　2010;104:1583-1587.

第二十三章

血「膿」於水（下）—胸腔積膿

　　張先生（假名）因為發燒、咳、膿痰和氣喘需要入院治療，他本身沒有大病，只是過於肥胖而矣。最初他只是有少許傷風咳，不知何故他看了幾次家庭醫生，換了幾款抗生素也沒有好轉，病情一直走下坡，所以，張先生最後到急症室求診，他的肺部 X 光片顯現一大片肺炎，因此他被送入院打針。

　　不過，經過數天治療後，他不但沒有起色，情況更加急轉直下，張先生呼吸時胸口痛（pleuritic chest pain），輕微缺氧及不時發冷發熱。他再照 X 光後，發現肺部「白」了一半以上，主診醫生馬上出動強力和闊譜（big gun）的抗生素，情況仍沒有好轉。我仔細看看張先生的肺部 X 光片，懷疑他有併發症——肺積水（parapneumonic effusion）。我用超聲波去確認我的臨床推測，可惜張先生太肥胖，超聲波的影像也看不清楚，我唯有安排他作胸腔電腦掃描（CT thorax），結果顯視張先生的肺炎已發展成肺膿腫（lung abscess）及帶有大量肺積水。我們要分辨患者是有胸腔積膿（thoracic empyema），抑

或普通肺炎肺積水；根據電腦掃描的影像及超聲波導引下，我們成功抽出他的肺積水作化驗——一陣惡臭傳來，噢！抽出來的盡都是膿水。集合數人之力，我們順利替這肥胖的病人插了導管（chest drain）放膿；數天後張先生退燒了，病情也大為好轉。由於他病況不輕，張先生要接受為期數星期的針藥（parenteral antibiotic）治療。

胸腔積膿（thoracic empyema）早在公元前五世紀已為人知曉，肺炎、胸腔手術及胸部創傷都可造成胸腔積膿，就算在醫學昌明的今日，此病的死亡率相當高[1]，而它的發生率亦持續上升[2,3]。醫生在作出臨床診斷後，仍需要客觀檢驗去証實病人患上胸腔積膿，電腦掃描（CT thorax）及超聲波（ultrasound）都扮演非常重要角色——確認肺積水和引導放膿位置；好些時候胸腔積膿會在超聲波（ultrasound）[4]及電腦掃描（CT thorax）[5]上呈現某些獨特影像，但那些獨特的影像未能協助醫生百份百分辨別出普通肺炎肺積水、胸腔積膿或協助醫生決定是否替病人插導管（chest drain）[6]，所以，醫生仍要抽出肺積水來作各種化學及種菌化驗[6,7,8]。不過，當我們替病人插導管放肺積水時，都需要用超聲波來定位[9,10]。

當我初出道時，那些年代我們會使用十分巨大的導管（chest drain）來放膿，病人叫苦連天，幸好時代進步了，我們現在只用細小的導管（small bore chest drain），效果其實不相伯仲[11,12]。抗生素當然是治理此病的重中之重方案，至於注射其他化學藥物（DNAase and Tissue plasminogen activator）入胸腔能否幫助改善病情？初步結果雖然令人鼓舞，但仍

未有定案 [13,14,15]。到了今天要為病人動手術清膿，已是很罕見了。

　　血濃於水，強調親情重於一切；但若果是血「膿」於水（肺水有膿），則打針放膿就重於一切。

參考文獻：

1.　Hospital-acquired thoracic empyema in adults: a 5-year study. South Med J 2009; 102:909–914.

2.　Trends in pneumonia and empyema in Scottish children in the past 25 years. Arch Dis Child 2008; 93:316–318.

3.　Empyema: an increasing concern in Canada. Can Respir J 2008; 15:85–89.

4.　Sonographic septation: a useful prognostic indicator of acute thoracic empyema. J Ultrasound Med 2000;19:837–843.

5.　Prevalence and clinical significance of pleural microbubbles in computed tomography of thoracic empyema. Clin Radiol 2006; 61:513–519.

6.　British Thoracic Society: management of pleural infection – draft guidelines. BTS; 29 July 2009. pp. 1–39.

7.　Diagnostic work-up of pleural effusions. Respiration 2008; 75:4–13.

8.　Bacteriology of complicated parapneumonic effusions. Curr Opin Pulm Med 2007; 13:319–323.

9.　Value of chest ultrasonography versus decubitus roentgenography for thoracentesis. Am Rev Respir Dis 1986;133:1124–1126.

10.　Accuracy of pleural puncture sites: a prospective comparison of clinical examination with ultrasound. Chest 2003; 123:436–441.

11.　Empyema and effusion: outcome of image-guided small-bore catheter drainage. Cardiovasc Intervent Radiol 2008; 31:135–141.

12.　Efficacy and complications of small borewire-guided chest drains. Chest 2006; 130:1857–1863.

13. Intrapleural heparin or heparin combined with human recombinant DNase is not effective in the treatment of empyema in a rabbit model. Respirology 2006; 11:755–760.

14. Primary result of the second Multicentre Intrapleural Sepsis（MIST2）Trial; randomised trial of intrapleural TPA and DNase in pleural infection. Thorax 2009; 64（Suppl 4）:A1.

15. Intrapleural Use of Tissue Plasminogen Activator and DNase in Pleural Infection N Engl J Med 2011;365:518-26.

第二十四章

由下而上的聯繫

　　還記得我讀醫科的時候，外科教授常常提醒我們：「nowhere? somewhere? just below the diaphragm」；意思是當你（醫生）對病人的原發病源（primary site）毫無頭緒時，不要忽略橫隔膜以下的器官，最常見的例子是隱藏的腸胃或胰臟腫癌，橫隔膜以下積膿，以至病人持續發燒⋯⋯二十多年後的今天我仍然發覺受用不淺。

　　早陣子，腎科同事找我們診治一位「洗肚」──腹膜透析法（CAPD）的病人，病人丁先生（假名）最近因腎衰歇要開始「洗肚」（腹膜透析法即是將透析藥水，經由腹部上的一條管子注入腹腔，停留 4-6 小時後再將其排出，每天執行 3-5 次的換液，每次換液約花 30-40 分鐘）。但丁先生同時亦開始氣喘，他肺部 X 光片顯示右胸腔有相當多的肺積水，但左邊就完全沒有肺積水。奇怪的是他身體其他原本水腫的地方，在「洗肚」後都消腫了。由於我們相信病人的肺積水是由腎衰歇引起（fluid overloading），於是腎科同事再加強了「洗肚」的配方，可惜，之後的情

況仍然毫無起色，所以我們決定替丁先生抽出肺積水——即胸膜腔積液抽吸術（thoracic paracentesis）作進一步化驗。初步化驗（biochemistry）顯示肺積水為 Transudative effusion 一類，此類積水常見於心臟或腎部衰歇的病人。

不過為何丁先生肺積水中的糖份這麼高？而且近乎等如「洗肚水」（peritoneal dialysis fluid）的糖份指數呢前輩的格言再次湧上我的心頭——「不要忽略橫隔膜以下的器官」。我還隱約記得我讀人體結構學（human anatomy）時，知道人天生橫隔膜有少量的弱點或小孔（diaphragmatic holes），尤其是人體的右邊。現在丁先生每次「洗肚」時都需要將兩公升的透析藥水注入腹腔，橫膈膜長期處於這種高壓力下，就有可能產生裂縫，而有腹膜進一步突入肋膜腔，造成突起的小泡（blebs）或者破裂而形成破洞缺損（fenestration），透析藥水自然經這些橫隔膜小孔進入胸腔成為肺積水。理論歸理論，懷疑歸懷疑，大家還是替病人做了 Peritoneo-pleural scintigraphy with technetium-labeled sulfur colloid（Tc99Msc）[1]，最後我們的確證實了臨床的診斷。於是腎科同事暫時將丁先生由腹膜透析法轉為「洗血」——即血液透析（hemodialysis），避免丁先生「洗肚」時，洗肚水再次進入他的胸腔，我們亦轉介病人到胸肺外科部做手術，為要「封」了那些橫隔膜的小孔，如果成功的話丁先生將來就可以再洗肚了。

午飯時我剛剛遇上了腸胃科同事，所以我們談論起那個少見的案例；「史提芬」醫生告訴我他有

相似的病例要處理，那是發生在肝硬化的病人身上
——肝性肋膜積水（hepatic hydrothorax）。嚴重
肝硬化的病人，往往有非常厲害的腹腔積水（tense
ascites），由於橫膈膜長期處於那種高壓力之下，
極有可能產生裂縫，導致腹腔和肋膜腔積水而互相流
通，情況與丁先生一樣，不同的是，如果丁先生不再
注入「洗肚」水，他就不再有肺積水的問題；可惜，
肝硬化的病人自身就不斷產生腹腔積水（ascites），
所謂「水源充足」。平常我們多用去水藥（diuretics）
甚或「抽肚水」——即腹腔穿刺術（abdominal
paracentesis）來減少腹腔積水（ascites）所帶來的
不適及高腹壓（abdominal pressure）。

　　修補此類橫膈缺損的治療模式中，主要分為內
科模式及外科模式，前者是利用沾粘劑（sclerotic
agents）使橫膈和肺臟沾粘，以便阻斷腹水的流入。
後者則如器官移植（liver transplant）或透過橫膈缺
損修補術（thoracoscopic repair）[2]，以根治肝硬化
的病情或阻斷腹腔肋膜腔積水的流通路徑為目標。

　　「史提芬」醫生再進一步指出：某些慢性胰臟炎
的病人會罕有地發展出一條瘻（fistula），它貫穿胰
臟和胸膜（pancreaticopleural），導致胰臟分泌物
積聚於胸腔，如同肺積水一般 [3]，要根治十分棘手。

　　以上三個病例都是來自「由下而上」的不正常聯
繫（connection）——導致腹腔和肋膜腔積水互相流
通。但由下而上的聯繫（communication）在一個大
機構、社會甚或國家卻至為重要。若果意見能下呈上
達，又或者政策首先在民間醞釀，繼而由政府立法推
行，定必事半功倍。可是，很多領袖卻自以為獨具慧

眼，事事為人民作主，所以命令和政策都是上而下的。要知道地位及權力越高的人，他會越遠離前線和真相，現代用語即「堅離地」，不夠「貼地」（踏實），那怎能得到大眾支持，得到成功呢？

參考文獻：
1. Massive hydrothorax complicating peritoneal dialysis. Isotopic investigation（peritoneopleural scintigraphy）. Clin Nucl Med 1993;18(6):498-501.
2. Hepatic hydrothorax. Curr opin pulm med 2003;9(4):261-5.
3. Pancreatic ascites: study of therapeutic options by analysis of case reports and case series between years 1975 and 2000. Am J Gastroenterol 2003;98(3):568-77.

第二十五章

慢性阻塞性肺病—氣喘和棄喘

　　高先生（假名）是個六十多歲的「資深」煙民，他已吸煙幾十年，不知何故他近年來常常咳嗽、痰多和氣喘。起初，每當他病發，家庭醫生都只視作傷風咳或氣管炎來處理，但高先生的病徵總是揮之不去，他只能行走十數分鐘，便要歇一歇，所以高先生到處求醫（doctor shopping），最後有同業給他處方了一些哮喘常用的噴霧劑，他的病情才有所改善，但病徵卻未完全消失，因此他還是要求同業轉介他到專科門診，作進一步檢查。

　　其實，當「咳、痰、喘」發生在一個「長期煙民」身上，最大的可能性就是他患上慢性阻塞性肺病（Chronic Obstructive Pulmonary Disease,COPD），簡稱慢阻肺病。經肺部 X 光及肺功能檢查後，高先生被確診患上那種長期性肺病。他好奇地問：「服用哮喘藥之後，我的病情有所改善，那不就是証明我患有哮喘病嗎？」當然不是那回事，哮喘藥也可改善非哮喘病的病情。

　　慢阻肺病是近年較新的名稱，以往醫護人員通

常稱它為慢性支氣管炎（Chronic bronchitis）或肺氣腫（Emphysema）。它最主要的病因是由於吸煙和二手煙等有害氣體或有害顆粒引起。慢性阻肺病的病徵和哮喘（咳、喘、鳴）真的有點相似，但病理就大不同，慢阻肺病病人的呼吸道有進行性（progressive）和不可完全逆轉（irreversible）的阻塞（airflow obstruction），常伴隨的有呼吸道黏膜水腫、發炎反應及細支氣管或肺泡構造的破壞，因而減少進出肺的氣流，患者肺部難以呼吸。

慢阻肺病在香港十分普遍，六十歲以上的市民中，有 12.4-25.9% 患有此病。每位患者平均每年入院兩至三個星期接受治療。約七成患者身體功能上有某程度的受損，其死亡率亦不低，在 2008 年每 10,000 個 65 歲或以上的患者就有 211.9 個死亡個案。

那病可分為急性加重期與穩定期：急性加重期（Acute exacerbation of COPD）是患者出現超越日常狀況的持續惡化，患者短期內咳嗽、咳痰、氣短和（或）喘息加重，痰量增多，呈膿性或黏膿性，可伴（associate）發熱等炎症病況。穩定期（Stable COPD）指患者咳嗽、咳痰、氣短等症狀穩定或症狀輕微。患者在急性發作期過後，臨床症狀雖有所緩解，但其肺功能仍然繼續惡化。與慢阻肺病共同顯生的疾病（comorbidity）亦十分多，如心血管病（Cardiovascular diseases）、新陳代謝綜合症（Metabolic syndrome）、骨質疏鬆（Osteoporsis）、抑鬱（Depression）、肺癌（Lung cancer）及肌肉功能失調（Skeletal muscle dysfunction）等。

高先生苦笑道：「看來我是難逃一劫！但有沒有

解救方法呢？」我認真地回答：「我不是甚麼大師，但我肯定戒煙對你有莫大的裨益。雖然目前沒有藥物能防止或減慢持續進展的氣流阻塞（Progressive airflow obstruction），但藥物治療能有效地預防和控制症狀、減少急性病發的頻率及其嚴重程度、提升運動耐力和生活素質。」

　　雖然病人因患病而感到「氣」喘；但醫護人員定必盡力協助病人「棄」喘。

參考文獻：
Global Strategy for Diagnosis, Management, and Prevention of COPD – 2016. http://www.goldcopd.com

第二十六章

慢性阻塞性肺病—機和「氣」

今天早上龍先生（假名）帶同他的女兒來覆診。龍先生患了慢性阻塞性肺病（Chronic Obstructive Pulmonary Disease, COPD）已十多年。半年前他的肺功能已只剩餘約三成（FEV1=30%），血含氧量亦低於 7.3kPa（55mmHg），因此他開始接受長期／家居氧氣治療（Long Term Oxygen Therapy, LTOT）了 [1]，目前最常用的家居氧氣儀器是氧氣機，那機的操作原理是抽入四周的空氣，然後將氧氣與其他氣體分開，提供高純度氧氣給患者。

起初，龍先生非常抗拒那種治療（LTOT），因為他每天最少 15 小時掛著那條輸送氧氣的膠喉（Nasal cannula，俗稱「貓鬚」）在鼻孔附近，他不但覺得不方便，而且出外時也感到這「貓鬚」十分礙眼。現在公共交通工具的司機亦會拒絕接載他們，有時候龍先生會貪方便「偷雞」不配帶手提氧氣筒（portable oxygen cyclinder）外出。經我們多次解釋長期／家居氧氣治療對他的好處（例如延長他的壽命）[2] 後，龍先生終於接受治療，他漸漸也感到治療的效果——少了氣喘、運動量提升了……

今天他帶同家人來覆診，為要徵詢醫生的意見，他渴望到美國參加兒子的婚禮，由於女家是美國人，所以婚禮順理成章只在美國舉行。家人查詢龍先生能否安全地乘搭十多小時的飛機赴會呢？很多人不知道——當民航機起飛後，機艙內的氣壓只等同 8000 英呎高空的氣壓，正常人的血含氧量（SaPO2）也會輕微下跌，可況那些在水平線已經缺氧的病人。一般來說若果病人身處水平線上能有血含氧量 >9.3kPa（70mmHg），那麼那個病人在飛機上便不用吸氧氣[3]。但龍先生現時已需要一度氧氣（1L oxygen per min），那麼在飛機上，他應使用多少氧氣？甚或他完全不適宜搭飛機呢？傳統教導提到：大部份中等程度缺氧的病人，如果用 3 度氧氣或簡單地用雙倍原本氧氣度數，大都可以安全飛行[4]。聽到這裡，龍先生和家人覺得那個指引太籠統，似乎未能令人安心。我完全明白老人家渴望見證兒子婚禮，那是重要一刻，但家人又十分擔心他的行程不太安全。

所以我提議龍先生做一個很特別的測試，名為 Hypoxic challenge test（HCT）；病人會進入一個密室，技術員將密室內的氣壓調較至等同 8000 英呎高空的氣壓，意即模仿病人搭飛機時所遇到的環境，從而估算病人身體的變化，醫生便能準確地作出建議——病人應否在機上用氧氣及所用的度數[5]。我聯絡了 HCT 的總負責人，他了解龍先生的情況後，便一口答應給予最快的約期。看到龍先生和家人能放下心頭大石，我也感覺良好得多。

下午我走進病房看見詹老伯（假名），他近半年來已第四次因慢阻肺病急性發作入院了。他的病情比

龍先生還要嚴重，幾年前他已經需要使用長期／家居氧氣治療，而且越來越要使用高度數的氧氣。他之前的兩、三次入院，都因二氧化碳過高而令他神智不清（CO2 nacrosis），他血液中的二氧化碳度數往往超過 10kPa！所以詹老伯每次都需要接受無創輔助通氣（Noninvasive ventilation, NIV）幫助呼吸。無創輔助通氣是通過呼吸機接駁到鼻罩或面罩，輔助病人呼吸，去除高企的二氧化炭。在九十年代初這種治療方法才被引進香港，在此之前，我們面對慢阻肺病急性發作（AECOPD）而又有呼吸衰歇（Type II failure）的病人只可選擇替病人插喉（intubation）或順其自然。無創輔助通氣面世後，大大減少此類病人需要插喉及死亡率 [6,7,8]。無錯 NIV 每次都能幫助詹老伯清醒過來，生化指標恢復正常，但不久他又因同一問題入院。同事不其然都會問何不替詹老伯安裝一部家用無創性呼吸機（Domiciliary Noninvasive ventilation, NIV）？也許能減少同類病發而需要入院。從我們以往經驗，這種做法的確有點幫助，但科研暫未能證明此法可以延長病人壽命 [9]。另一現實問題就是不少此類病人是獨居的，他們未必有能力在家中自行正確使用這呼吸機，若果他們使用不得其法，可引至窒息後果！

當慢性阻塞性肺病患者自然衰歇到某程度，他們就需要氧「氣」機、甚或呼吸「機」，看來「機」和「氣」對他們都十分重要。

參考文獻：

1. Global Strategy for Diagnosis, Management, and Prevention of COPD – 2016. http://www.goldcopd.com
2. Make B. Oxygen therapy for patients with COPD: current evidence and the long-term oxygen treatment trial. Chest 2010;138:179-87.
3. Air travel and oxygen therapy in cardiopulmonary patients. Chest 1992;101:1104-13.
4. Oxygen supplementation during air travel in patients with chronic obstructive lung disease. Chest 1992;101:638-41.
5. Managing patients with stable respiratory disease planning air travel: a primary care summary of the British Thoracic society recommendations. Prim Care Respir J 2013;22(2):234-238.
6. Noninvasive ventilation for acute exacerbations of chronic obstructive pulmonary disease. N Engl J Med 1995;333:817–22.
7. Randomized, prospective trial of noninvasive positive pressure ventilation in acute respiratory failure. Am J Respir Crit Care Med 1995;151:1799–806.
8. Early use of noninvasive ventilation for acute exacerbations of chronic obstructive pulmonary disease on general respiratory wards: a multicentre randomized controlled trial. Lancet 2000;355:1931–5.
9. Nocturnal non-invasive nasal ventilation in stable hypercapnic COPD: a randomised controlled trial. Thorax 2009;64:561–6.

第二十七章

慢性阻塞性肺病—太極養生

　　唐先生（假名）是個患有慢性阻塞性肺病（Chronic Obstructive Pulmonary Disease, COPD）的病人。他今年六十多歲，患了慢阻肺病大約四、五年了。唐先生為人開朗好動，喜歡參加各種社交活動，可惜，他患病後體能不斷下降，他好幾次不能參與以往熱愛的活動，因此，常常悶悶不樂。他明白現時所接受的藥物治療已經十分到位，但在覆診時，他仍想請教我有甚麼方法提升他的運動量或體能（exercise tolerance/capacity）。

　　其實，唐先生這種想法及要求十分正面和合理。我問他可曾聽過肺康復（Pulmonary Rehabilitation）？他表示從未聽聞過。肺康復是一個經詳細評估後，針對個人度身設計的全面醫療方案，包括加強病人對肺病的認識，體能訓練及改善心理素質的方案，從而提升患者身心健康，亦旨在增強長期病患者尋求健康生活模式的持續性。[1]

　　想不到唐先生聽完我詳細介紹後，完全不感興趣原因是他最害怕上課和那些沉悶乏味的運動及訓練。

我立即告訴他，職業治療部的同事將會教導他「八段錦」，而物理治療部的同事就教授「橡筋太極」，那都是我們肺康復活動的其中一環；唐先生非常詫異地問：「西醫都相信這套嗎？」

以前大家對中國傳統醫學及其他智慧感到抽象和虛無飄渺，但過去二、三十年有不少學者用西方科研方法來研究各種中國優良瑰寶，如太極氣功；單是過去五、六年就有多份科研文獻針對太極氣功如何改善慢阻肺病的病情發表報告。

一份今年才發表的生理研究[2]發現，練習太極拳所產生的生理變化（inspiratory capacity and twitch quadricepts tension）竟然與完成在跑步機運動相似。慢阻肺病病人練習太極拳能改善肺功能（FEV1, FVC）[3,6,8]、提升肌肉力量[5,8,9]、走路距離（Walking distance/6 minute walk test）[3,4,6,8,9]、改善平衡（reduced medial-lateral body sway in semi-tandem stand）[4,5]、減少發作[3]和提升生活質素[5,7]。

唐先生聽完那麼多科學證據後，態度立即一百八十度改變，繼而想進一步了解多一點。他以前也學過一點太極拳，所以不斷追問：「你們所教的太極拳是否與傳統的有所不同，抑或類似原地太極、輪椅太極拳……？」他果然是個好動的人，對太極拳也有基本認識。我們所教的並不是大家常見的那種，而是名為「橡筋太極」（Theraband Tai Chi），由廣華醫院物理治療部的同事鑽研出來。目前他們所研究的「橡筋太極」只有四式（見圖）：起式、單鞭、雲手及如風似閉。它與一般太極最大不同之處就是練習

者需要配合一條長長的橡筋帶練習，橡筋帶會增加練習者伸展身體各部位時所遇到的阻力，不同顏色的橡筋帶，代表不同的阻力：黃色最低、黑色最高。那種「橡筋太極」深受慢阻肺病病人歡迎。

　　不過，醫學界仍須進一步研究那些太極招式對慢阻肺病病人有裨益及練習詳情（如密度和時間長短等）。正如其他武術，讀者不宜單單看了光碟或網上影片，便自行演練，太極拳有很多的轉馬動作，不經專人指導，可能令膝關節受損。不過，我現在還是專心練好我的外家拳吧！

後記：

ATS & ERS definition:

Pulmonary rehabilitation is a comprehensive intervention based on a thorough patient assessment followed by patient tailored therapies, which include, but are not limited to, exercise training, education, and behavior change. Designed to improve the physical and psychological condition of people with chronic respiratory disease and to promote the long term adherence to health enhancing behaviors.

參考文獻：
1. An official American Thoracic Society/European Respiratory Society statement: key concepts and advances in pulmonary rehabilitation. Am J Respir Crit Care Med 2013;188(8):e13-64.

2. Physiological response to Tai Chi in stable patients with COPD. Respiratory Physiology & Neurobiology. 2016 Jan 15;221:30-4.

3. Tai chi qigong improves lung functions and activity tolerance in COPD clients: a single blind, randomized controlled trial. Complementary therapies in medicine. 2011;19(1):3-11.

4. Short form Sun style Tai Chi as an exercise training modality in people with COPD. ERJ 2013; 41(5): 1051-7

5. TAI CHI as a form of exercise graining in people with chronic obstructive pulmonary disease. Expert Review of Respiratory Medicine. 2013;7(6):587-92.

6. The sustaining effects of Tai Chi Qigong on physiological health for COPD patients: a randomized controlled trial. Complementary therapies in medicine 2013;21(6):585-94

7. Evaluation of the sustaining effects of Tai Chi Qigong in the sixth month in promoting psychosocial health in COPD patients: a single blind, randomized controlled trial. The scientific world journal 2013; 4250-82.

8. The effect of Tai Chi on COPD: A pilot randomized study of lung function, exercise capacity and diaphragm strength. Heart, lung & Circulation 2014;23(4):347-52.

9. The effect of Tai Chi on four chronic conditions-cancer, osteoarthritis, heart failure and COPD: A systemic review and meta-analyses. British Journal of sports medicine2016;50(7):397-407.

起式

如風似閉

96 肺苦之言

雲手

單鞭

第二十八章

慢性阻塞性肺病— 氣功化氣喘

　　在診症室再次遇見唐先生（假名），可喜的是他不再需要坐著輪椅回來覆診。他經過數個月的肺復康（Pulmonary Rehabilitation）訓練後，體能有明顯的改善。他尤其喜愛橡筋太極（Theraband Tai Chi）這一環。這次他追問我再學習氣功是否對他有所裨益，西方醫學在這方面有沒有科學化的研究？

　　職業治療師阿「蓮」姑娘告訴我，她部門數年前已將健康氣功（Health Qigong）列作肺復康的其中一個環節。其中以八段錦最為熱門，其餘還有六字訣，五禽戲及易筋經。訓練的重點是令慢阻肺病（Chronic Obstructive Pulmonary Disease,COPD）病人能恆常練習健康氣功，甚至將練習氣功演變成他們的生活習慣，以收長期的益處。這種傳統運動不但安全有效，而且不需要特別器材及場地。

　　但唐先生似乎不大滿意我的粗略解説，我唯有「拋」下書包：香港理工大學（Department of Rehabilitation Science）的學者們曾經發表過一篇

薈萃分析（meta-analysis）[1]，此論文包涵了二十六個研究，它指出健康氣功（Health Qigong）能改善身體多項機能（ie increasing the numbers of white cells & lymphocytes, stroke volume, peak early & late transmitral filling velocity, forced vital capacity, forced expiratory volume, and conversely lowering total cholesterol, systolic & diastolic blood pressure and depressed mood scores）。 他們另一個研究[2]顯示練習氣功的慢阻肺病 [COPD] 病人比使用其他運動練習者能保持更久的益處（ie significantly better improvement in functional capacity measures at the 6 month follow up）這時唐先生忍不住要求我快快轉介他到職業治療部學習氣功，其實氣功是本院肺復康的必修課程，毋須額外轉介的。

許多人都覺得氣功十分神祕及玄妙，在中國古老的導引術中，八段錦是流傳最廣，它形成於 12 世紀，後在歷代流傳中形成許多練法和風格各具特色的流派，它動作簡單易行。古人把這套動作比喻為「錦」，意為動作舒展優美，如錦緞般優美、柔順，又因為功法共為八段，每段一個動作，故名為「八段錦」。除了我們常見的立式八段錦外，亦有坐式八段錦，因此最嚴重的慢阻肺病 [COPD] 病人也可練習。

不單學習內家拳的人會修練氣功，其實學習外家拳的人一樣會修練氣功，如我派「葉系詠春」門人練習小念頭套路時，一樣講求呼吸協調及心境「空明」。洪拳及俠家拳一向被視為陽剛霸道的南拳，但在機緣巧合下，我有幸接觸過洪拳的橋功及俠家拳的

十二支橋，發現這兩套拳法實為提昇耐力的氣功心法，而洪家的鐵線拳更是上乘的內功心法而不為人所認識，同具剛柔並濟相信亦是洪拳能位列南拳之首的重要因素。從這武學的事上，第一我領悟到我們看世事不能過於表面或停留在人云亦云（否則你看不到洪家拳硬橋硬馬以外的另一面），第二無論武術門派抑或國家要成功要揚名都需要剛（硬實力）柔（軟實力）並濟。絕對同意可戰（與敵對抗）才可和（與敵議和）的硬道理．但總不可能天天對人家動刀動槍的。近年祖國的硬實力（軍事及經濟）的確迎頭趕上，只可惜某些國民自持財大氣粗，在國外的行為時有令人側目，因而往往淪為人家的笑柄。相反「韓」風（韓國的電子產品，影音娛樂事業等等）卻蓆捲全球，能用自己的文化（軟實力）去影響他人的生活方式及意識形態，那才是真高招！看來祖國要成為央央大國的路還是遙遠的。

參考文獻：
1. Psychophysiological outcomes of health qigong for chronic conditions: a systemic review. Psychophysiology 2009;46: 257-269.
2. Functional and psychosocial effects of health qigong in patients with COPD: A randomized controlled trial. Journal of alternative & complementary medicine 2011;17[3]: 243-51.

第二十九章

慢性阻塞性肺病—
肺大不一定好？

　　高先生（假名）是個非常嚴重慢阻肺病（COPD）的患者，他的肺功能（FEV1=30%）只剩餘約正常人三成。數年前他已需要接受長期／家居氧氣治療（Long Term Oxygen Therapy, LTOT），一年前他的病情大大惡化，多次因呼吸衰竭（Type II respiratory failure）引發二氧化碳過多而神智不清（CO2 Narcosis）。每次入院，高先生都必須接受無創輔助通氣（Noninvasive ventilation, NIV）幫助呼吸，由於同樣的問題不斷重現，所以醫療團隊最終安排他在家中接受無創輔助通氣（Home Noninvasive ventilation, NIV）。與此同時，他也接受了為期數個月的肺康復（Pulmonary Rehabilitation）操練，當然所有可用的藥物早已用盡了。

　　今天高先生如常覆診，不過他是坐著輪椅來他不是因為受了任何傷患，而是他的活動量已少於五分鐘路程了。他年輕時十分好動活躍，他對於現狀感到十

分失落，因此，他非常渴望改善他嚴重的氣喘和提升他的活動量，但我只能如實告訴他，所有治療方法差不多已經用了，除非……能為高先生進行肺移植（Lung Transplantation），那就可以徹底改變現狀[1,2]。但大家要知道高先生已經七十多歲，進行肺移植的機會不大，尤其在如此缺乏器官捐贈的香港。

在十多年前，曾經有一個熱潮，就是利用外科手術把肺部縮小（Lung Volume Reduction Surgery, LVRS）[3]。手術如何令嚴重慢阻肺病（COPD）患者的病徵有改善？LVRS 手術能把肺部的惡性膨脹（Hyperinflation）減少，改善橫膈膜和胸腔的機械運作（Mechanics），加強氣道彈性回縮（elastic recoil pressure），從而改善呼氣流量（expiratory flow rates）和提升氣體交換（gases exchange）[4]。LVRS 的確能使慢阻肺病（COPD）患者改善運動量、生活質素和延長壽命[5]，只可惜有 5% 的病人會在手術後 90 日內死亡，多於一半病人亦會有重大併發症從現代醫學角度看，這驚人的死亡數字和眾多的併發症是不能接受，所以醫學界現在已經很少替患者再做 LVRS 了。

近年，內窺鏡技術突飛猛進，睿智的醫學專家嘗試將精巧的活門（endobronchialvalve, EBV）經內窺鏡植入某特選的支氣管，空氣只能由支氣管的末端經活門流向主氣道，最終造成那部份「肺不張」（atelectasis）。其醫理與 LVRS 手術一樣——縮小肺部體積，而對病人的益處亦相似[6,7]，但那處理方案可能造成病人出現特別的併發症——氣腔（pneumothorax）。如要成功，病人肺部的結構必

須符合某些特定條件，因此事前精準的電腦掃描檢查是極為重要——預先選定植入活門／EBV的位置。初步的臨床研究[8]是正面的，但以往累積的數據仍未能夠使它（EBV implantation）成為標準治療程序[9,10]。在香港只有少數醫院有此治療程序，但通常仍屬於科研性質。

在金庸小説中的降龍十八掌，有一招名為「縮龍成寸」——出招的人可將身體捲成球狀，高速滾動，攻守兼備，威力無窮。所以，我們的肺部增大了不一定有更好的功能肺氣腫便是個好例子，相反有肺氣腫的肺經手術後，縮小到達致正常的體積，才能發揮正常的功能。

參考文獻：
1. Lung transplantation. Am. J. Respir. Crit. Care Med. 1997; 155: 789–818.
2. The Registry of the International Society for Heart and Lung Transplantation: 29th adult lung and heart-lung transplant report—2012. J. Heart Lung Transplant. 2012; 31: 1073– 86.
3. National Emphysema Treatment Trial Research Group. A randomized trial comparing lung-volume reduction surgery with medical therapy for severe emphysema. N. Engl. J.Med. 2003; 348: 2059–73.
4. Lung volume reduction surgery for emphysema. Eur. Respir. J. 1997; 10: 208–18.
5. The National Emphysema Treatment Trial (NETT) part II: lessons learned about lung volume reduction surgery. Am. J. Respir. Crit. Care Med. 2011; 184: 881–93.
6. Bronchoscopic volume reduction with valve implants in patients with severe emphysema. Lancet 2003;361: 931–3.
7. Effect of bronchoscopic lung volume reduction on dynamic hyperinflation and exercise in emphysema. Am J Respir Crit Care Med 2005;171:453–60.

8. A randomized study of endobronchial valves for advanced emphysema. N Engl J Med 2010;363:1233–44.
9. Bronchoscopic interventions for COPD. Respirology 2014 2014;19:1126-1137.
10. Noninvasive ventilation and lung volume reduction. Clin Chest Med 2014;35:251-269.

第三十章

慢性阻塞性肺病─
加上支氣管擴張

　　李老先生（假名）經常因膿痰，發燒和氣喘入院，同事一般都視作慢阻肺病發作（infective exacerbation）處理。但根據老先生的描述，平常的時候他的痰涎也是黃綠色的。由於李生差不多每一個月都入院，他的家人也開始擔心起來。主診醫生也邀請了肺科同事匯診，檢視了他的肺部 x 光（chest X ray），發現了有相當多的肺勞舊患 [old TB related fibrocalcification]，但似乎亦有不少支氣管擴張（traction bronchiectasis）。在香港不少支氣管擴張（bronchiectasis）的個案都是由肺勞病（Tuberculosis）引起的。老先生的家人非常樂意自費到私院照高解像胸腔電腦掃描（HRCT Thorax），掃描的確顯示出病人有相當大範圍的支氣管擴張和原本的慢阻肺病病變（emphysema）-（COPD plus Bronchiectasis）支氣管擴張指的是肺臟中支氣管永久性的擴張。患者的常見症狀包括有痰的慢性咳嗽，其他還有呼吸困難、咳血與胸痛等，有

些患者同時也有喘鳴的情形。患者也常罹患肺部（下呼吸道）感染。

由於抗生素和疫苗普及，由肺部感染所引起的支氣管擴張已較以前少 [1,2] 但與它相關的入院治療個案卻不少（a prevalence of 52.3 cases of bronchiectasis per 10,000 adults, with an increase in the average age-adjusted rate of bronchiectasis associated hospitalization in USA）[3]。

咳和持續有膿痰正是支氣管擴張的特徵，但支氣管擴張加慢阻肺病究竟是併存疾病（Co-existent disease）定是慢阻肺病的一個特別顯型（Phenotype）呢？暫時未有結論。

支氣管擴張和慢阻肺病同樣是氣道發炎病例 [4,5] 吸煙和肺部感染都會引發一連串的氣道發炎，結構破壞等等（airway remodeling, impaired mucocilliary clearance, microbes persists）[6,7,8] 病人會常常病發，氣喘和有膿痰，氣道受阻（airway obstruction）情況變差 [9]。若加上假單胞菌（Pseudomonas aeruginosa）定植（colonization）會令肺功能退化加速（an accelerated decline in lung function）[10] 這刻李老先生就好奇地問：「明明是支氣管擴張，那麼加原本的慢阻肺病，應該是負負得正，為何氣道受阻（airway obstruction）情況會變得更差呢？」原來大氣管是擴張了，不過小氣管卻變窄了（thickening of the walls of the smaller airway）[11]，整體上氣道還是受阻的。

老先生的家人追問重疊症（COPD-Bronchiectasis overlap syndrome）的治療方案是否與單有慢阻肺病

不一樣。那真是有所不同，單是在兩病（Bronchiectasis Vs COPD）所種到的細菌也不同[12,13]，因此用藥選擇及所需時間也自然不同[12]。由於沒有太多針對重疊症的氣道受阻作研究，因此治療方案自然沿用慢阻肺病的（長短效氣管舒張劑 - Short/Long acting B2 Adrenergic Agonists and Long Acting Muscarinic Antagonist）[14-16]吸入式類固醇在慢阻肺病的利弊已有非常詳細研究[17,18]，但在支氣管擴張的醫療效用卻未明[19-21]但老先生的主要問題是不斷受到細菌感染而需要住院，英國胸肺學會建議[12]要考慮長期使用抗生素應對，但配方應是如何卻無肯定答案。也許可以試用大環內酯類（Macrolide）作長期抑制細菌感染而致的發作，似乎有一定效果[22-24]。另一方面長期使用大環內酯類（Macrolide）也可能減少慢阻肺病病發[25]李生家人聽到後當然十分高興，然而這方案亦有不少隱憂—引起細菌抗藥性，腸胃不適，肝功能失調，最重要是大環內酯類能引致心律不正（prolonged QT interval），幸好本地[26]及國際研究[27]顯示風險不是太高。

擴張或擴大這等名詞通常都視為正面和美好的。因此我們一般都盼望自家舖頭擴張，影響力擴張，勢力擴張，版圖擴張……但支氣管擴張卻如肺氣腫，器官擴張／擴大了反而累事。香港人每天都想著如何擴大我們的居住空間，但另一方面我們卻甚少去想想如何擴大我們的思想空間。你可能立即說我每年都外遊幾次去開眼界的，然而大部份人只是跟什麼旅遊天書／旅遊達人，追捧什麼必到、必食、必玩、必影等玩意。這或可說成你GPS（Global Positioning

System，又稱全球衛星定位系統）的紀錄擴大了，但未必代表你的思想空間擴大了，世間吊軌的事多的是，有智者打趣地說擴大我們的思想空間後，也許能擴大我們的居住空間！

參考文獻：
1. Respiratory diseases. 3rd ed. Oxford: Blackwell Science Ltd; 1981. p. 417–30.
2. Bronchiectasis in Finland: trends in hospital treatment. Respir Med. 1997;91(7): 395–8.
3. Prevalence and economic burden of bronchiectasis. Clin Pulm Med. 2005;12(4):205–9.
4. Activated T-lymphocytes and macrophages in bronchial mucosa of subjects with chronic bronchitis. Am Rev Respir Dis. 1993;147(2):301–6.
5. Mucosal inflammation in idiopathic bronchiectasis cellular and molecular mechanisms. Eur Respir J. 2008;31(2):396–406.
6. Pathogenesis of emphysema: from the bench to the bedside. Proc Am Thorac Soc. 2008;5(4):475–7.
7. Host microbial interrelationships in respiratory infection. Chest. 1989;95:217S–21S.
8. Inflammation: a two edged sword – the model of bronchiectasis. Eur J. Respir Dis Suppl. 1986;147:6–15.

第三十一章

究竟是慢阻肺病？抑或哮喘病？

　　羅先生（假名）自幼患上哮喘病，可惜他年輕時極為反叛，不聽從醫護人員的勸告，年紀輕輕已開始吸煙，因此六十多歲的他已吸了四十多年香煙。與此同時，羅先生亦經常不依時覆診和服藥，尤其是使用吸入式類固醇（Inhaled Steroid）。最近，他的氣喘變得非常嚴重，上一層樓梯已是極限了，他使用緩解發作藥（relievers）的次數亦大增。他的病情似乎與一般哮喘病人有別，所以我特別替羅先生作了更詳細的肺功能檢查，結果發現他肺功能只有正常人四成左右（FEV1=40%），最重要是他的呼氣流量在吸入緩解發作藥後，並沒有任何改善（irreversible），那意味著他有持續的呼氣流限制（persistent airflow limitation），整體上，羅先生的臨床表現較接近慢阻肺病（COPD）。

　　另一位病人黎先生（假名）同樣是六十多歲，他是個長期慢阻肺病的患者。近一年來，他經常因嚴重氣喘發作入院，每一次他由病發到病情急轉直下，都是一日之內發生，入院時他的喘鳴

（wheezing）是非常厲害，而且有點缺氧，但很奇怪，他每次都在一兩日之間完全康復出院。黎先生沒有個人哮喘病歷或家族史，但他的臨床表現卻像哮喘（brittle Asthma）。在他痰涎中的嗜酸性粒細胞（eosinophils）特別高，因此，我替他安排了一個非常詳細的肺功能檢查，結果發現，他的氣道阻塞竟然有非常大程度的逆轉（reversibility），即是病人吸入緩解發作藥後，他的 FEV1 上升了四百毫升及比原來的多 15% 以上。這兩個表徵 - 痰中有嗜酸性粒細胞（sputum Eosinophilia）及氣道阻塞逆轉（spirometry reversibility）都是哮喘病的兩大典型特性。

那麼羅先生和黎先生究竟是患上哮喘抑或是慢阻肺病呢？他倆的臨床表現同時擁有以上兩種疾病的特性；對！其實他們應該患上了哮喘、慢阻肺病重疊症（Asthma COPD Overlap, ACO）。那是近年醫學界將以往的「觀察」（observation）重新整理列為疾病實體（disease entity）[1]。簡單來説，那是指一個病人同時具備哮喘及慢阻肺病的特徵。但現時連醫學權威也不能為這重疊病症下一個定義，只能作出概略性的形容。因為 ACO 沒有全面認受性的定義，所以不同的研究會估計出不同的流行程度（prevalence），一般研究引述此症狀的流行情況為 15-55%[2]。但為何要將這組群組特別歸納出來？原因是這組病人有特多的急性發作[3]、更頻密的入院治療率[4]、較低的活動能力和生活質素及肺功能衰退更快和有較高的死亡率[3,5,6,7,8]。但這小數量的病人卻使用了大量的醫療資源[9,10,11]。

肺苦之言

現時醫護人員只能按以下幾個步驟來診斷重疊症（ACO）[1]：

1. 首先要問病人有沒有慢性氣道疾病 (Chronic airway diseases)？

2. 釐清病人的主要病徵可類近哪一種病：哮喘、慢阻肺病抑或是重疊症？

3. 替病人進行肺功能檢查

4. 根據初步診斷處方——若是哮喘，吸入式類固醇就是基石；若是慢阻肺病，就使用長效氣管舒張劑；若是重疊症，那就視作哮喘病來治療。

5. 若最後仍然遇上診斷的疑難或治療效果不佳，那就要轉介專家作進一步診治。

「Fusion 菜」（如星馬泰、娘惹菜……）往往給人耳目一新的感覺，甚至無限的驚喜，但這哮喘、慢阻肺病的「Fusion 病」（ACO）卻絕然不同，它的危險性和殺傷力叫人望而生畏。容許我用武術中的招式——「雙鬼拍門」來形容這重疊症最為貼切！

參考文獻：
1. 2017 GINA report, Global Strategy for asthma management and prevention. http://ginasthma.org/2017-gina-report-global-strategy-for-asthma-management-and-prevention.
2. Distinct clinical phenotypes of airway diseases defined by cluster analyses. Eur Respir J 2009;34:812-8.
3. The overlap syndrome of asthma and COPD: What are its features and how important it is? Thorax 2009;64:728-735.
4. High hospital burden in overlap syndrome of asthma and COPD. Clin. Respir. J. 2013; 7: 342–6.

5. Overlap syndrome of asthma and COPD predict low quality of life. J Asthma 2001;48:279-85.

6. Characteristics and self-rated health of overlap syndrome. Int. J. Chron. Obstruct. Pulmon. Dis. 2014; 9: 795–804.

7. The clinical and genetic features of COPD-asthma overlap syndrome. Eur. Respir. J. 2014; 44: 341–50.

8. Characterisation of the overlap COPD-asthma phenotype. Focus on physical activity and health status. Respir.Med. 2013; 107: 1053–60.

9. High hospital burden in overlap syndrome of asthma and COPD. Clin Respir J 2013;7:342-6.

10. The economic impact of exacerbations of chronic obstructive pulmonary disease and exacerbation definition: a review. COPD 2010; 7: 214–28.

11. Economic burden in direct costs of concomitant chronic obstructive pulmonary disease and asthma in a Medicare Advantage population. J.Manag. Care Pharm. 2008; 14: 176–85.

12. Asthma, COPD and Asthma-COPD overlap syndrome (ACOS) http://www.goldcopd.org/uploads/users/files/GOLD_ACOS_2015.pdf

第三十二章

肝肺症候群的「動、靜」 二脈打通了

　　十多年前，我曾在一間較小規模的醫院工作了幾個月，當時，我遇到一個很罕見的病例，病人的性別及年齡我已忘記了，姑且叫他陳先生（假名）。他初時因肚脹及腳腫入院，主診醫生很快就能診斷出病人患上了肝硬化（Liver cirrhosis）；肚脹及腳腫是由於腹腔積水（Ascites）及水腫所致，那都是典型的門脈高壓症（Portal hypertension）的病徵。於是醫生處方去水藥（diuretics）及減壓藥（Inderal）給陳先生，病人的肚脹及腳腫果然得到明顯的舒緩，但奇怪的是陳先生感到愈來愈氣喘，並且有點缺氧。主診醫生恐怕氣喘是由因肝硬化引起的肺積水（pleural effusion）所致，但病人的肺部 X 光片相當正常，不單沒有肺積水，連一點異常也沒有，那麼陳先生的氣喘和缺氧從何而來？

　　主診團隊鍥而不捨地追查，終於發現病人年輕時曾有兩、三年吸煙的習慣，因此主診醫生懷疑他患上慢性阻塞性肺病（COPD），隨即停了他的減

壓藥（Inderal）及處方非常高劑量的氣管舒張藥。
但陳先生的氣喘和缺氧不單沒有改善，反而更加惡
化所以，他們唯有邀請我這個客席醫生（Visiting
physician）「幫幫眼」。

經詳細評估後，我並不認為他有慢阻肺病，但陳
先生有一個與別不同的症候（symptom）——他坐立
時比敞臥時更喘氣（Platypnea），那與一般疾病（如
心臟衰歇）所引起的氣喘剛剛相反，所以，我立即替
病人量度不同姿勢的含氧量，果然發現他坐立時的含
氧量比敞臥時低超過 5%——（Orthodeoxia）。有
見及此，我大膽懷疑陳先生患上罕有的肝肺症候群
（Hepatopulmonary syndrome; HPS）。主診團隊
同意盡快安排病人接受胸腔電腦掃描（CT Thorax）
和肺血管攝影（Pulmonary angiography）求證，最
終，陳先生確診患上肝肺症候群，所以主診團隊轉介
他到大學醫院等候肝移植。在此請各位讀者理解：電
腦掃描和肺血管攝影是當時（距今超過十五年前）診
斷 HPS 的標準工具。

肝 肺 症 候 群（Hepatopulmonary syndrome;
HPS）是甚麼疾病？

HPS 因肝實質的病變而產生肝功能失常，導致
肺血管擴張（intrapulmonary vascular dilatation）
或 產 生 分 流（shunt）， 引 起 低 血 氧（increased
alveolar-arterial oxygen gradient）[1] 的 情 況。 在
等候肝移植病人當中，約 5%-35% 的患者有肝肺症
候群 [2,3]。雖然那毛病多出現在肝硬化的病人身上，
但急性和慢性肝病患者 [4] 也同樣可以患上這罕有的
症候群；不過，肝功能失調的程度和肝肺症候群的

嚴重性不一定成正比[5]。氣喘和缺氧正正是 HPS 最常見的臨床表現[6]，而病人缺氧的問題通常會愈演愈烈[7]。HPS 有兩個典型病徵，分別為 Platypnea（患者臥著、起身時會呼吸困難）和直立性缺氧（Orthodeoxia-PaO2 下降大於 5% 或 4mmHg），其病理是當病人處於直立姿勢時，更多血液會因地心吸力自然流向肺底部（即近橫隔膜那邊），會造成更嚴重的分流（intrapulmonary shunting）[8]。

要診斷肝肺症候群（HPS）必須注意三個要點：

（一）肝實質的病變而產生肝功能失常，如：肝硬化、
　　　猛爆性肝炎、肝腫瘤等……

（二）低血氧：PaO2<70mmHg 或（A-a）DO2>20mmHg

（三）證實有肺部血管擴張或肺內分流的存在

現時診斷 HPS 的工具當然比十多年前先進得多，包括：

(1) 氣泡顯影式心臟超音波（Transthoracic contrast-enhanced echocardiography; CE）[9]
肝肺症候群的患者，其肺微血管會擴張並常在肺內分流，所以若將經激烈振盪後有小氣泡的生理食鹽水注射患者手臂的靜脈，醫生若果馬上看到患者的左邊心臟有顯影，則為患有心內分流（Intracardiac shunt）；如果是注射後等了 3 個心收縮（3 cardiac cycles），其後患者的左心臟才出現顯影，那表示患者有肺內分流（intrapulmonary shunt）。

(2) 核醫肺掃瞄（99mTc MAA lung scan）[10]

可以量化患者分流量的多寡，不過掃瞄沒法區分患者是心內分流抑或是肺內分流。

(3) 肺血管攝影 [11]

現只用於換肝前來排除肺血管本身的異常或做栓塞治療的工具。

目前治癒 HPS 的唯一方法是換肝（Liver transplantation）[12,13]，否則大部分患者身體只會日漸走下坡，以致嚴重缺氧[14,15]；一般患者五年的存活率只有 23%[7]。

在武俠小說中，誰能打通「任督」二脈，誰的功力就能大增。可惜，在肝肺症候群中，誰有愈大的肺血管分流（即「動靜」二脈相通/Arterio-Venous shunting），那患者就有更多病徵，病情就更為嚴重。現代商業社會，能懂得打通各種人脈關係，建立社交網絡，好比古時能打通「任督」二脈般重要。君不見坊間有大量教人如何精通人脈關係的書籍麼？日光之下無新事，只是不同時代的人追捧不同的秘笈。

後記：

當年事後主診團隊好奇地問我如何聯想到那「冷門」的疾病？我只好苦笑及誠實相告——小弟早年到英國考專業試（MRCP）時，曾遇過同一案例，不過，當年才疏學淺，給主考官罵個狗血淋頭，永世難忘，差點喪志潦倒於英倫街頭。雖然事隔多年，再遇那症，試問我怎能不迅速地將它辨認出來呢？也許世

事總是如此，愈痛苦的學習經驗，愈刻骨銘心；更冷
的知識也終有用得著的一天，人總得有點阿 Q 精神，
用作自我安慰也無妨。

參考文獻：

1. Pulmonary–hepatic vascular Disorders (PHD). Eur Respir J. 2004; 24:861–880.
2. Prevalence of hepatopulmonary syndrome in cirrhosis and extrahepatic portal venous obstruction. Am J Gastroenterol. 2001;96:3395–3399.
3. Prevalence and risk factors of significant intrapulmonary shunt in cirrhotic patients awaiting liver transplantation. Taehan Kan Hakhoe Chi. 2002;8:271–276.
4. Hepatopulmonary syndrome among cirrhotic candidates for liver transplantation. Transplant Proc. 2012;44:1508–1509.
5. Assessment of prevalence of intrapulmonary arteriovenous shunt in cirrhotic patients qualified to liver transplantation. Wiad Lek. 2009;62:211–218.
6. Clinical features of hepatopulmonary syndrome in cirrhotic patients. World J Gastroenterol. 2006;12:1954–1956.
7. Natural history of hepatopulmonary syndrome: impact of liver transplantation. Hepatology. 2005;41:1122–1129.
8. Oxygen desaturation during sleep in hepatopulmonary syndrome. Hepatology. 2008;47:1257–1263.
9. Value of contrast echocardiography for the diagnosis of hepatopulmonary syndrome. Eur J Echocardiogr. 2007;8:408–410.
10. Quantitative lung perfusion scintigraphy and detection of intrapulmonary shunt in liver cirrhosis. Ann Nucl Med. 2002;16:577–581.
11. Hepatopulmonary syndrome: angiography and therapeutic embolization. Clin Imaging. 2003;27:97–100.
12. Excellent outcome of living donor liver transplantation in patients with hepatopulmonary syndrome: a single centre experience. Clin Transplant. 2013;27:530–534.

13. Hepatopulmonary syndrome: favorable outcomes in the MELD exception era. Hepatology. 2013;57:2427–2435.

14. Prospective evaluation of outcomes and predictors of mortality in patients with hepatopulmonary syndrome undergoing liver transplantation. Hepatology. 2003;37:192–197.

15. Prognostic significance of the hepatopulmonary syndrome in liver cirrhosis. Med Clin (Barc). 2006;127:133–135.

第三十三章

過敏性肺炎的過敏與抗敏

多年前有一位同業與我分享一個非常特別的病症，病人是位中年男士（稱他李先生——假名），他因數天咳嗽和持續發燒，最後便到急症室求診。X 光顯示他肺部有肺炎現象，因此需要入院作進一步檢查和治療。化驗報告出了，他的血液和痰涎沒有大問題。經醫生處方抗生素後，他的病徵及體溫迅速改善，李先生很快便出院。

後來他覆診時，同業發現他肺片（CXR）不正常的地方完全沒有改善，令主診醫生懷疑他可能有其他隱藏疾病（double pathology），雖然李先生進行了電腦掃描，醫生仍沒有新的發現，於是替他進行支氣管內窺鏡檢查（bronchoscopy），可是所有檢查和化驗沒有顯示甚麼原因或問題，幸好最終他肺片（CXR）上的陰影慢慢地完全消失了，大家也鬆了一口氣。

奈何數月後，李先生同一問題又重覆出現，主診團隊再次給他進行電腦掃描、支氣管內窺鏡檢查，但今次還加上替他作肺部組織活檢（bronchoscopic lung biopsy），他的病理報告令人大為詫異，而病人血清中亦發現有致敏抗原（elevated serum precipitant to Aspergillus Fumigatus），大家回想他電腦掃描上不起眼（nonspecific）的影像，原來李先生是患了過敏性肺炎（hypersensitivity pneumonitis —— HP），那是一組由不同致敏原引起的非哮喘性變應性肺疾病，以瀰漫性間質炎為其病理特徵。由於病人吸入含有真菌孢子、細菌產物、動物蛋白質或昆蟲抗原等等的有機物塵埃微粒（直徑＜10μ）所引起的過敏反應，因此又稱為外源性變應性肺泡炎（extrinsic allergic alveolitis）。

但在香港這個「石屎森林」，何來那些來自大自然的致敏原呢？我以往從未聽聞過有同業在香港診斷過 HP 主診團隊鍥而不捨，派員到李先生家中嘗試尋找致敏原，最終就在他睡房中，找到一個污漬斑斑的枕頭，那極大可能是致敏原的源頭於是建議他丟棄那枕頭，處方類固醇（Corticosteroid）治療他，數個月後，李先生終於完全康復了。

過敏性肺炎（HP）對大部分香港醫生來說是十分陌生，簡單來說它是由過敏反應所引發的呼吸系統疾病[1]，雖然它可以由多種極不類同的致敏原引起，但它最終的臨床表現卻大致相同。粗略可將 HP 分為三大類：急性（acute）、亞急性（subacute）及慢性（chronic），不過醫學界仍未能為這三大類型 HP 作出有廣泛認受性的定義。

急性過敏性肺炎有點像一般感染性肺炎，而慢性過敏性肺炎卻像特發性肺纖維化（Idiopathic Pulmonary Fibrosis；IPF[2]）；有時候慢性過敏性

肺炎會突然急性發作 [3]。醫生診斷 HP 時，最重要是仔細查問病人的病史（包括環境因素、生活習慣及愛好），抱著極高的臨床懷疑態度（High clinical suspicion）。患者的肺部 X 光片可能有各種陰影，不過卻沒有明確特定的影像可作診斷用途；不同類型的 HP 在高解像電腦掃描（HRCT）中會顯現出不同的影像 [4,5,6]；肺功能檢查，只是用來追蹤 HP 病人的病情，卻不能用作診斷 HP[1]；一般的驗血檢查是沒多大作用，只有在病人血清中發現有致敏抗原之特異沉澱素（serum-precipitating IgG antibodies against the offending antigen）[7]，才有助診斷。不過，世上有無窮盡的致敏原，所以絕對沒有可能替病人逐一化驗，最終只能靠醫生的經驗和患者的病史中找出線索來診斷。可惜，香港公立醫院現時只有化驗其中幾種致敏原，而私人化驗所又收費不菲（約一千港圓驗一種致敏原）！

治療 HP 的原則與治療職業性哮喘相似：

第一、患者要盡早遠離致敏原；
第二、有需要時患者使用類固醇 [1]。

若果患者已發展到慢性過敏性肺炎，恐怕前景並不樂觀，約有三成病人因此而於數年內便致命 [8]。

HP 源於過敏，但抗敏的路途殊不簡單；一般而言，我們對週遭的人和事「過於敏感」，通常都不是件好事，但無論個人或從政者能「敏」於聽（容易察覺到他人有不同的意見，又樂於聆聽）、慎於言（不胡亂批評或詆毀），那香港就美好得多了。

參考文獻：

1. Hypersensitivity pneumonitis: a multifaceted deceiving disorder. Clin Chest Med 2004;25(3):531–547, vi.

2. Chronic hypersensitivity pneumonitis. Am J Surg Pathol 2006;30(2):201–208.

3. Acute exacerbations of fibrotic hypersensitivity pneumonitis: a case series. Chest 2008;134(4):844–850

4. Hypersensitivity pneumonitis: spectrum of high-resolution CT and pathologic findings. AJR Am J Roentgenol 2007;188(2):334–344.

5. Hypersensitivity pneumonitis: correlation of individual CT patterns with functional abnormalities. Radiology 1996;199(1):123–128.

6. Chronic hypersensitivity pneumonitis: differentiation from idiopathic pulmonary fibrosis and nonspecific interstitial pneumonia by using thin-section CT. Radiology 2008;246(1):288–297.

7. Antibody measurement in extrinsic allergic alveolitis. Eur J Respir Dis 1984; 65(4):259–265.

8. The effect of pulmonary fibrosis on survival in patients with hypersensitivity pneumonitis. Am J Med 2004;116(10):662–668.

第三十四章

烈火雄心（上）—
氣道燒傷

在 2016 年，九龍淘大迷你倉長命大火再次喚起市民大眾對火災的關注。大家都知道火災可以致命，除了是由於直接燒傷人表面皮肉外，氣道燒傷亦是另一致命原因。那些同時有氣道燒傷的病人會比那些只有皮膚燒傷的多 20% 死亡率[1]

大多表面有燒傷的病人會送往外科部（BURN Unit），甚或深切治療部（ICU）接受治療。但那些單單被濃煙焗「親」（inhalation injury）而沒有表面傷的病人就可能被送到內科部或肺科病房觀察。醫護人員絕不會對這些可能有內傷（fire related inhalation injury）的病人丟以輕心，因為他們的病情可以在短時間內急轉直下。

氣道受損（inhalation injury to airway）主要是由於上呼吸道燒傷（upper airway thermal injury）；下呼吸道被化學物品灼傷（lower airway chemical injury）；中氣體毒（systemic toxic effects）；氣道發炎（reactive inflammation）；支氣管內膜

碎 片（endobronchial debris）及 繼 發 性 肺 部 感 染
（secondary infection）。

　　要診斷病人是否有氣道燒傷及受損（inhalation
injury to airway）就要注意以下事項；在室內抑或室
外被燒傷？口鼻附外皮膚有沒有燒傷？是否燒焦了鼻
毛？氣道有沒有煤煙？痰涎有否含碳？有聲沙嗎？有
喘鳴（wheezing or stridor）嗎？[2] 支氣管內窺鏡一方
面可以評估氣道受損程度，另一方面亦可以清除氣道
內的碎片（pulmonary clearance）。燒傷了的病人肺部
X 光片大多是正常，雖然科研發覺胸腔電腦掃描（CT
thorax）有助評估病情，但在臨床應用上卻沒有大用[3]。

　　頭 72 小時的處理方案首要是監察病人的氣道是
否通暢（airway patency），如果病人有大泛圍面腫
或面部燒傷、聲沙、有喘鳴（stridor），那麼病人有
可能需要插喉幫助呼吸（intubation and mechanical
ventilation）。若病人有氣道收窄（bronchospasm），
就要使用氣管舒張劑（nebulized beta-agonists）亦
須同時留意病人是否有一氧化碳（carbon monoxide
poisoning）[4,5] 及 氰 化 物（cyanide poisoning）中
毒 [6,7] 的現象，以便第一時間作出應對。

　　第 3 至 21 日的處理方案：某些有氣道嚴重受損
的病人需要物理治療或抽痰來幫助清理氣管內積存的
分泌物，繼發性肺部感染是另一個常見的併發症，其
死亡率可以高達 60%[8]。

　　在幸存病人中有小數人會患上上呼吸道阻塞
（upper airway obstruction），究其原因來自上呼
吸道燒傷（upper airway thermal injury）或由於插
喉時主氣管受創 [9]，治療頗為困難。

肺苦之言

　　人類懂得生火及其應用後帶來生活上極大益處和
方便，但世事總有兩面一面善／益；另一面惡／害。
火如水一樣，是善是惡在乎一念之差。

參考文獻：
1.　The influence of inhalation injury and pneumonia on burn mortality. Ann Surg 1987; 205: 82-7.
2.　Grading inhalation injury by admission bronchoscopy. Crit Care Med 2012; 40: 1345-6.
3.　Computed tomographic assessment of airflow obstruction in smoke inhalation injury: relationship with the development of pneumonia and injury severity. Burns 2015; 41: 1428-34.
4.　Carbon monoxide poisoning. Crit Care Clin 2012; 28: 537-48.
5.　A modern literature review of carbon monoxide poisoning theories, therapies, and potential targets for therapy advancement. Toxicology 2015; 334: 45-58.
6.　Cyanide poisoning in victims of fire: analysis of 364 cases and review of the literature. J Burn Care Rehabil 1994; 15: 46-57.
7.　Cyanide poisoning by fire smoke inhalation: a European expert consensus. Eur J Emerg Med 2013; 20: 2-9.
8.　Objective estimates of the probability of death from burn injuries. N Engl J Med 1998; 338: 362-6.
9.　Upper airway compromise after inhalation injury: complex strictures of the larynx and trachea and their management. Ann Surg 1993; 218: 672-8.

第三十五章

烈火雄心（下）—
消防員的肺部健康

在 2016 年淘大迷你倉大火中有兩位消防員英勇捐軀。這些消防員每天都跟死神擦身而過，令人敬佩，所以我以比較喜歡用 Fire Fighter 來尊稱他們。其實消防員除了要面對可能被燒傷外，他們肺部的健康亦受到非常巨大的挑戰。

早期研究就發現消防員往往有更多的呼吸系統病徵（流鼻水、喉嚨發癢、咳、氣喘）、甚至眼痛，頭痛等，他們的高氣道反應性（bronchial hyperresponiveness to methacholine）亦比常人高（odds ratio=2.24）[1] 而這現象又與他們在過去 12 個月撲救過多少場火災成正比 [2]。差不多三十年前就發現消防員若沒有配帶保護裝置，他們在救火後的肺功能（FEV1 & FVC）* 就可能快速大幅下降 [3]。相反有配帶保護裝置的消防員就能保持正常肺功能 [4,5]。

911 恐佈襲擊舉世震驚，消防員殉職人數亦史無前例，醫學界對幸存者作了廣泛及長期跟進研究：事後有大量消防員出現持續咳嗽，醫學界命名這病

為 "World Trade Center Cough"，相信是因短時間內吸入極大量由大廈倒塌產生的灰燼有關 [6]。在事後三年及七年的追蹤研究 [7,8] 發現他們都的肺功能有明顯下降（annual reduction in FEV1 =25ml per year），程現氣道阻塞（airway obstruction）。同時亦發現這批消防員有 8.8% 的人患上哮喘，另有 9.7% 的患上鼻竇炎，越早到達 911 現場的有更高風險（odds ratio of asthma=1.4）[9]。2016 年亦發表了第十三年的追蹤研究 [10]，不幸地確認了這批消防員有平均 10% 的 FEV1 下降及不會復原，越早到達恐襲現場的，他們的肺功能（FEV1）就越差。這 10% 的 FEV1 減幅等同一個正常人 10 至 12 年的自然衰歇率！這現象與之前的認知大相逕庭，在 911 以前就算消防員沒有配帶保護裝置入火場，他們的肺功能通常只會下降 5%，而且在數星期內就能完全康復 [11-13]。那究竟 911 事件與其他火災有什麼不同之處呢？大家可還記得世貿兩座大樓都倒塌，那產生了非常甚或超大量的大廈建築物料粉抹及高溫熱解的化學物質（pulverized building materials and the chemical by-products of combustion and pyrolysis），消防員正正吸入這些特別物質而非濃煙引致不能回轉的肺功能衰歇！

說到這處，我再次向 Fire Fighter 致最高的敬意：他們是真正的「勇武」者。勇者（無懼工作上的危險）、武者（止戈為武＝用自己的力量阻止更大的暴力和災害）。請那些只會在街上扔石、在議會上扔香蕉的不要自己妄稱勇武，你們不是，也不配！

* 一秒用力呼氣容量稱（Forced expiratory

volume in one second, FEV1）最大深吸氣後做最大
呼氣，最大呼氣第一秒呼出的氣量稱為一秒用力呼氣
容量。

　　臨床上常以 FEV1/ 用力肺活量 FVC 的比值
（FEV1%）做判定，正常值為 80%；阻塞性或者混
合型是輕度降低到明顯降低；限制性是比值正常或輕
微升高。

參考文獻：

1. Respiratory symptoms, atopy and bronchial
   hyperreactivity in professional firefighters. Eur Respir J
   2007; 30: 538–544.
2. Lung function, bronchial hyperresponsiveness , and
   atopy among firefighters. Scand J Work Environ Health.
   2011;37(4):325-331.
3. Health hazards of firefigthers: acute pulmonary after toxic
   exposure. British J of Industrial Medicine 1989;46:209-
   211.
4. Change in Lung Function over Time in Male Metropolitan
   Firefighters and General Population Controls: A 3-year
   Follow-up Study. J Occup Health 2013; 55: 267–275.
5. Longitudinal Pulmonary Function in Newly Hired, Non-
   World Trade Center-Exposed Fire Department City of
   New York Firefighters-The First 5 Years. CHEST 2013;
   143(3):791–797.
6. Cough and bronchial responsiveness in firefighters at the
   world trade center site. N Engl J Med 2002;347:806-15.
7. Obstructive Airways Disease With Air Trapping Among
   Firefighters Exposed to World Trade Center Dust. CHEST
   2010; 137(3):566–574.
8. Lung Function in Rescue Workers at the World Trade
   Center after 7 Years. N Engl J Med. 2010 April 8;
   362(14): 1263–1272.
9. Physician-Diagnosed Respiratory Conditions and Mental
   Health Symptoms Seven to Nine Years Following the

World Trade Center Disaster. Am J Ind Med. 2011 September 1; 54(9): 661–671.

10. Lung function trajectories in World Trade Center-exposed New York City firefighters over 13 years: the roles of smoking and smoking cessation. Chest. 2016;149(6):1419-1427.

11. Pulmonary function in firefighters: acute changes in ventilatory capacity and their correlates. Br J Ind Med. 1979;36:29-34.

12. The short-term effects of smoke exposure on the pulmonary function of firefighters. Chest. 1990;97(4):806-809.

13. One-month follow-up after inhalation of dense smoke. Chest. 1977;71(4): 445-449.

第三十六章

睡眠醫學初探— 「熊貓」家族

　　我趁這個聖誕假期去探訪了振華（假名）一家，振華是我大學時期在暑期生活營所認識的，他是念工商管理。多年不見，他一開門我幾乎認不出他來，他的大肚腩非常嚇人。他太座是個典型的銀行高層，雍容高雅但不過明顯長期過勞，説白一點振華太太（Virginia）的樣子相當「殘」。

　　閒話家常一番後，我的職業病又再發作起來，忍不住問振華為何由當年俊朗的校草變成現今的模樣（應該超過二百多磅）？他竟然仰天長嘆：「火柱兄、生活迫人呀！」這種説話怎可能出自一位上市公司主席呢？這時振華娓娓道來多年來多不勝數的應酬、日夜不分、長年無假放的辛酸，現在他除了是公司老闆外，也是位高血壓及糖尿病患者。許多時候壓力大到令他徹夜難眠，這時 Virginia 卻提出異議：「振華不知瞓得幾好，不過鼻鼾聲就令我瞓唔到！奇怪的是他瞓很久但仍常常打瞌睡。記得一次他在吐露港公路駕車時竟然睡著了！差點就全『家』覆沒！」我即時

斬釘切鐵地告訴振華，他可能患上睡眠窒息／中止症（Obstructive Sleep Apnea, OSA），因他已有肥胖問題、再加上糖尿病，高血壓，因比要趕快做身體檢查。

Virginia 用嘲笑的語氣説：「一早就叫你早點看醫生啦！」這時振華亦不甘示弱：「你身體亦好不了我許多，晚晚一兩點才睡，唔夠精神就狂飲咖啡頂眼瞓。」Virginia 卻還擊：「我知道，所以臨睡前我一定飲一杯補酒中和咖啡的害處。」我也忍不住插口：「睡前飲含咖啡因的飲料會影響當晚睡眠質素，其影響程度與飲用咖啡因的份量有關。另外不少人誤解以為酒精令人安睡，其實酒精只能令你早點入睡，但卻令你下半夜不能安睡，實在太多人對基本睡眠衛生有錯誤觀念。」[1]

大家東拉西扯一輪後，時間不經不覺已經到了日落西山下，但為何未見到他們的寶貝兒子——Wilson？他夫婦倆苦笑地告訴我：「Wilson 平日總是凌晨兩三點才肯睡，但卻要早上八時上課，那怎可能有夠時間休息呢，唯有假日瞓過夠本，所以 Wilson 通常只會在假日的下午四五點才起床！」我好為人師的性格又再驅使我找這個世姪談談。剛好 Wilson 起了身，也讓我參觀了他的私人空間——睡房，跟其他年青人差不多，電視、電腦、平版電腦及智能電話樣樣齊備。我不其然懷疑 Wilson 在晚間過度使用這些電子產品以致遲遲不肯入睡[2]。另外玩過長時間（多於 150 分鐘）的暴力電子遊戲也會令人難入睡及睡眠質素差[3]。但 Wilson 卻清楚表明這些都不是他凌晨才上床睡覺的原因，他真的到了這個

時段才能入睡。他真誠的眼神令我相信他的說話,那麼 Wilson 可能患上 Delayed Sleep Phase Syndrome(DSPS)。DSPS 指少年人的生理時鐘撥後了幾小時,所以他們比一般成年人遲幾小時才能睡,但卻要跟隨社會大眾一般的作息(起床)時間表,那麼他們只好在假日睡多一點補償[4]。

那時振華邀請我一同享用晚餐,看看時間不過是下午五時半而矣,怎可能這麼早吃晚餐呢?原來要遷就他年邁的媽媽,她每天晚上七時就要上床休息,Virginia 似乎對此有點微言,因她奶奶凌晨兩三點就起身,跟著弄這弄那騷擾到剛上床的她。在晚膳席間知道老人家有長期失眠的問題,心想這位老人家應該患上了 Advanced Sleep Phase Syndrome,其病理剛剛與 DSPS 相反的——老人家的生理時鐘比常人走快了幾小時,但睡眠長度卻正常[5];失眠亦是老人家常見的毛病。望著這家人他們的確很相似——都有一對熊貓眼(黑眼圈)但他們各人的問題卻大不同。

由於振華的問題最嚴重和緊急,所以著他兩星期後到我處醫治。

參考文獻:
1. The role of sleep hygiene in promoting public health: a review of empirical evidence. Sleep Medicine review 2015;22:23-36.
2. A risk factor for sleep disordered breathing. The University of Wisconsin sleep and respiratory research group. J A llergy Clin Immunol 1997;99:S757-62.
3. Diagnostic and treatment implications of nasal obstruction in snoring and obstructive sleep apnea. Clin Exp Allergy 2000;39:663-9.

4. Sleep in adolescence: the perfect storm. Pediatri Clin North Am 2011;58:637-647.
5. American Sleep Association. Advanced Sleep Phase Syndrome. https://www.sleepassociation.org/patients-general-public/advanced-sleep-phase-syndrome/

第三十七章

睡眠醫學—
睡眠窒息症的基本認識

　　振華終於在太太催促下，好不情願到我處了解多一些關於睡眠窒息症。約有 4% 的成年男仕及 2% 的成年女仕患上睡眠窒息症 [1-3]。睡眠窒息症（Sleep Apnea 又譯作睡眠呼吸中止症或睡眠呼吸暫停）是一種睡眠時候呼吸停止的睡眠障礙。睡眠窒息症主要可區分為三個類型：阻塞性睡眠呼吸暫停（Obstructive Sleep Apnea，OSA）、中樞神經性睡眠呼吸暫停（Central Sleep Apnea，CSA）及混合性睡眠呼吸暫停（Mixed Apnea,MA）。在三種類型的患者中，罹患 OSA 的情形最普遍，罹患純粹的 CSA 的情形相對較罕見。

　　阻塞性睡眠窒息症的成因是喉嚨的肌肉過度鬆弛，這些肌肉支撐著軟腭 (soft palate)、懸雍垂 (uvula)、扁桃體 (tonsils)、喉嚨的側壁和舌頭。當這些肌肉鬆弛，在吸氣時呼吸道會收窄、甚至會封閉起來，由於不能吸入適量的空氣，血液內的氧氣水平會下降。當腦子感覺呼吸出現問題時，會傳送訊號令

患者醒來而將呼吸道重開。患者可能會發出鼻鼾、窒息或喘氣的聲音。這會擾亂睡眠的質量和安睡的階段，令患者在日間仍感覺睏倦[4]。此病多發生於中年男性，男性的發病率約為女性的 2 至 8 倍。肥胖、扁桃腺過大、鼻骨移位、酗酒、吸煙及服用安眠藥的人士較易患上睡眠呼吸中止症。

振華並不察覺到他的睡眠曾經中斷、反而以為整晚都睡得很好。但他仔細回想後的確發現最近有打鼾、高血壓、日間專注力、認知能力降低、日間渴睡、情緒不穩、暴躁及易怒等現象。我隨即著振華填寫愛普渥斯嗜睡躓量表 (The Epworth Sleepiness Scale)，這是個透過簡單的嗜睡量表來自我評估白天的嗜睡程度，他的分數是 24 份之 16，這意味著他的嗜睡程度甚高 (Excessive Day Time Sleepiness, EDS)。振華反問：「我日常事務極繁忙，就算患上睡眠窒息症，暫時不處理可有大風險？」這問得正好，最近一個醫學評論[5]分析了 26 份醫學研究，確認睡眠窒息症與各類型的死亡 (all-cause mortality) 及心血管病 (如冠心病、腦中風…) 有關，尤其是男性患者。雖然未能確實睡眠窒息症與糖尿病及抑鬱病有直接關係，但其中可能性不少。退一步來説單患者在駕車時打瞌睡已經危險萬分吧[6]！振華立即想起上一次的交通意外仍心有餘悸。

愛護家庭的他認真地請教我如何診斷睡眠窒息症，睡眠窒息症須經由睡眠多維圖 (polysomnography)，配合 Epworth 嗜睡量表，才可以確診受試者是否患有睡眠呼吸暫停。多維圖睡眠檢查（Polysomnography，PSG）是以多種機器同步

監測患者睡眠時的：a) 腦波、眼電圖、肌電圖：監察睡眠分期；b) 口、鼻氣流；胸及腹部的動態：監察呼吸活動；c) 脈動式血氧計：監察血氧濃度。醫護人員根據睡眠多維圖量化呼吸暫停次數（Apnea-hypopnea Index，AHI），作出診斷。多項生理睡眠檢查是現在診斷睡眠呼吸暫停的臨床黃金標準。無呼吸‧低呼吸指數 (AHI) 是指平均一小時無呼吸及低呼吸事件的次數。在成人，普遍將 AHI 高於 5 診斷為患有睡眠呼吸暫停。

　　最後振華亦同意接受睡眠多維圖測試，其實在我講解過程中，他已經釣了好幾次魚 (打瞌睡) 了！

....

參考文獻：
1. The occurrence of sleep disordered breathing among middle aged Adults. N Engl J Med 1993;328:1230-5.
2. A community study of sleep disordered breathing in middle aged Chinese men in Hong Kong. Chest 2001;119:62-69.
3. A community study of sleep disordered breathing in middle aged Chinese women in Hong Kong. Chest 2004;125:127-134.
4. American academy of sleep medicine. http://www.esst.org/adds/ICSD.pdf
5. Untreated obstructive sleep apnea and the risk for serious long term adverse outcomes: a systemic review. Sleep Medicine Review 2014;18:49-59.
6. Complications and consequences of obstructive sleep apnea. Curr Opin Pulm med 2000;6[6]:485-9.

General reference:
Sleep Medicine, Essentials and Review. Teofilo Lee-Chiong, Jr.Oxford. 2008

第三十八章

睡眠醫學——
睡眠窒息症的治療方案

　　一如所料睡眠測試顯示振華患上了嚴重的睡眠窒息症（OSA），他的 AHI（呼吸暫停次數 /Apnea-Hypopnea Index）達到一小時 60 多次，而他的血含氧量在睡眠時可以下跌至 50%！其實他亦早知不妙，所以事前亦上網查找了不少資料。振華清楚知道連續正氣壓機（Continuous Positive Airway Pressure, CPAP）是治療睡眠窒息症的重要方案[1]。CPAP 的原理其實十分簡單——它運用加壓了的空氣撐住氣道，以致病人睡眠時呼吸道不再收窄、甚至會封閉起來[2]。但這種治療方法是治標不治本——病人使用 CPAP，他的睡眠窒息症就會受到控制，但不是根治睡眠窒息症。使用 CPAP 亦可能引致使用者口鼻乾涸、鼻塞、面部皮膚被面罩壓傷⋯⋯[3]

　　因此振華請教我可否單靠減肥來處理他嚴重的睡眠窒息症？每一個肥胖的睡眠窒息症病人都要減肥[1]，通過各種生活節制及改變的確可以大幅減肥及改善睡眠窒息症[4]，但可惜這種方案能否長期有效（超過五

年）則存疑[5]。另外只有小撮病人能單靠減肥達致 AHI 少於[5,6,7]，究竟這種方法對中等及嚴重的睡眠窒息症是否有效更加是另一重大疑問。對二百多磅的振華來說，單靠減肥肯定不足夠，最重要是用減肥來處理睡眠窒息症是不可能即時生效，這剛剛是 CPAP 的好處——即用即生效！

但振華提出他經常到各地出差，帶著 CPAP 機過海關可能會遇上麻煩，他聽說一些特別牙膠（Mandibular Advancement Splint/MAS）也可治療睡眠窒息症的，這個發明創作是利用醫學原理，是將下頜向前伸展定位在適當位置上，不讓舌根等軟組織擠壓到呼吸通道。這樣一來，咽喉部呼吸通道撐開，增加通氣空間，讓呼吸通暢，睡眠呼吸中止症的發生自然會減少。無疑 MAS 能改善 AHI 及日間嗜睡程度（EDS）[8]。但大部份專家都認為 MAS 只可應用在輕度或最多是中度睡眠窒息症而矣[9,10]。因此我們通常只會使用 MAS 於那些因副作用不能使用 CPAP 機或那些極其抗拒 CPAP 的病人[1]。

這時振華顯得不耐煩：「那不如動手術一了百了吧！」可惜事情那有這麼簡單，唯有當病人的睡眠窒息症是由那些可動手術改善的結構（surgically correctable abnormality）形成，醫生才會考慮外科手術方案：functional rhinoplasty, septoplasty, turbinoplasty, palatal surgery and orthognathic surgery…[11]。每一個病人都可能需要不同的手術方案，另外那主治團隊的專長亦影響最後的選擇。

既然振華現在還是三心兩意，我建議他先用 CPAP ——那是個可逆轉的（reversible）方案。日

後他仍大可選擇 MAS 或手術。雖然定壓（fixed）或自動（auto）連續正氣壓機同樣有效，但他身為上市公司主席，不如用較昂貴的自動機（Auto-titrating CPAP）吧。他苦笑說 CPAP 機的開支是否可以扣稅的？果然是老闆！最後請三叮囑振華要好好處理他的糖尿病和高血壓，因為睡眠窒息症與心血管病是息息相關的。

參考文獻：

1. Management of obstructive sleep apnea in adults: a clinical practice guideline from the American college of physicians> Ann Intern Med 2013;159:471-483.

2. Continuous positive airway pressure for obstructive sleep apnea in adults. Cochrane Database Syst Rev 2006;(3):CD001106.

3. Treatment of obstructive sleep apnea in primary care. Am Fam Physician 2004;69(3):561-8.

4. Weight loss from life style interventions and severity of sleep apnoea: a systemic review and meta-analysis. Sleep Medicine 2014;15:1173-83.

5. Sustained improvement in mild obstructive sleep apnea after a diet and physical activity based life style intervention: postinterventional follow up. Am J Clin Nutr 2010;92(4):688.

6. Longer term effects of very low energy diet on obstructive sleep apnoea in cohort derived from randomized controlled trial: prospective observational follow up study. BMJ 2011:342.

7. Lifestyle intervention with weight reduction. First line treatment in mild obstructive sleep apnea. Am J Respir Crit Care med2009;179(4):320-7.

8. Mandibular advancement splint [MAS] therapy for obstructive sleep apnea-an overview and quality assessment of systemic reviews. Sleep Breath 2015;19:1101-8.

9. American academy of sleep medicine. Practice parameters for the treatment of snoring and obstructive sleep apnea with oral appliances: an update for 2005.sleep 2006;29:240-243.

10. Scottish intercollegiate guidelines network. Management of obstructive sleep apnoea/hypopnea in adults: a national clinical guideline. http://www.sign.ac.uk/pdf/sign73.pdf

11. Surgical management of obstructive sleep apnea. Plast Reconstr 2016;137:1263-72.

第三十九章

睡眠醫學—
阻塞性睡眠窒息症與心血管疾病

　　今天振華如期回來覆診，現在他日間亦不再嗜睡（Daytime Sleepiness），連續正氣壓機（Continuous Positive Airway Pressure, CPAP）的所有數據也十分理想。但他忽然追問我為何上次診症時再三叮囑他要好好處理血壓高和糖尿病？究竟阻塞性睡眠窒息症（Obstructive Sleep Apnea, OSA）與前者有沒有關係？毫無疑問振華在覆診前已上網查找過相關資料，想找我核實一下吧！

　　阻塞性睡眠窒息症已經被確認是引起高血壓的一個因素[1,2]，而且患上高血壓的風險與睡眠窒息症的嚴重程度有強烈關係[3]。醫學界認為是由於睡眠窒息症在晚間引起交感神經過度活躍（excessive sympathetic activation）[4]及過多醛固酮（Aldosterone）分泌有關[5]。睡眠窒息症更常見於那些耐藥高血壓（resistant hypertension）患者中[6,7]。而使用連續正氣壓機（CPAP）正好減少交感神經過度活躍，從而降低血壓[8]，但病人必須每晚佩帶 CPAP 起碼五小時以上才有此效用[9]。一般

來說在越嚴重的睡眠窒息症病人身上，CPAP 越有效降低血壓[10]，而且效果亦與每晚佩帶 CPAP 時間成正比[11]。雖然大部份文獻匯報 CPAP 只能降低血壓 2 至 3 mmHg，但相反，若果中止患上高血壓及睡眠窒息症的病人使用 CPAP，那麼他們的血壓卻可以反彈 5 至 9 mm Hg[12]。

振華好奇追問：「冠心病，心律不正及心臟衰歇又和睡眠窒息症有沒有關係呢？」他果然做了不少功課有不少心臟衰歇的病人患有睡眠窒息症[13]，而睡眠窒息症所引起過度活躍的交感神經，會加劇病人左心室功能失調[14]。另外中樞神經性（central）及阻塞性（obstructive）睡眠窒息症同樣常見於心臟衰歇的病人，有效治療睡眠窒息症可減少此類病人的心血管病的風險[15]。心房顫震（Atrial Fibrillation）亦常見於阻塞性睡眠窒息症病人[16]，更可能引發病人突然死亡[17]，多項研究亦發現冠心病和睡眠窒息症有一定關係[18-20]。

心血管疾病當然亦包括腦中風（stroke），美國心臟學會（American Heart Association）亦倡議要留心中風病人有沒有睡眠窒息症[21]，一個龐大（25,760 位病人）的薈萃分析（meta-analysis）指出阻塞性睡眠窒息症病人會有更高（約常人兩倍）的腦中風危險[22]，而且這批中風病人更容易再中風[23]及死亡[24]至於使用 CPAP 能否改善病人中風後的康復及死亡率就未有定論[25,26]。

振華忍無可忍再問我：「究竟阻塞性睡眠窒息症和糖尿病有沒有關係？」答案是可能有關[27-29]。我心想：「大哥同你傾了這麼久，今日門診又睇唔夠數！」

參考文獻：

1. Association between severe obstructive sleep apnea and incident arterial hypertension in the older people population. Sleep Med 2013; 14: 838–842.

2. Association between treated and untreated obstructive sleep apnea and risk of hypertension. JAMA 2012; 307: 2169–2176.

3. Prospective study of the association between sleep-disordered breathing and hypertension. N Engl J Med 2000; 342: 1378–1384.

4. Hypertension and obstructive sleep apnoea syndrome: current perspectives. J Hum Hypertens 2009; 23: 431–443

5. Plasma aldosterone is related to severity of obstructive sleep apnea in subjects with resistant hypertension. Chest 2007; 131: 453–459.

6. Obstructive sleep apnea: the most common secondary cause of hypertension associated with resistant hypertension. Hypertension 2011; 58: 811–817.

7. Prevalence and associated factors of obstructive sleep apnea in patients with resistant hypertension. Am J Hypertens 2014; 27: 1069–1078.

8. Sympathetic-nerve activity during sleep in normal subjects. N Engl J Med 1993; 328: 303–307.

9. The impact of continuous positive airway pressure on blood pressure in patients with obstructive sleep apnea syndrome: evidence from a meta-analysis of placebo-controlled randomized trials. Arch Intern Med 2007; 167: 757–764.

10. Continuous positive airway pressure treatment in sleep apnea patients with resistant hypertension: a randomized, controlled trial. J Hypertens 2010; 28: 2161–2168.

11. Effect of continuous positive airway pressure on the incidence of hypertension and cardiovascular events in nonsleepy patients with obstructive sleep apnea: a randomized controlled trial. JAMA 2012; 307: 2161–2168.

12. Effect of CPAP withdrawal on BP in OSA. Chest 2016;150(6): 1202-10.

13. Influence of obstructive sleep apnea on mortality in patients with heart failure. J Am Coll Cardiol 2007; 49: 1625–1631.

14. The progression from hypertension to congestive heart failure. JAMA 1996; 275: 1557–1562.

15. Heart failure and sleep disordered breathing. Curr Opin Cardiol 2016;31:224-228.

16. Obstructive sleep apnea, obesity, and the risk of incident atrial fibrillation. J Am Coll Cardiol 2007; 49: 565–571.

17. Day-night pattern of sudden death in obstructive sleep apnea. N Engl J Med 2005; 352: 1206–1214.

18. Sleep apnea is a stronger predictor for coronary heart disease than traditional risk factors. Sleep Breath 2012; 16: 695–701.

19. Prospective study of obstructive sleep apnea and incident coronary heart disease and heart failure: the sleep heart health study. Circulation 2010; 122: 352–360.

20. Increased incidence of coronary artery disease in sleep apnoea: a long-term follow-up. Eur Respir J 2006; 28: 596–602.

21. Guidelines for the prevention of stroke in patients with stroke and transient ischemic attack: a guideline for healthcare professionals from the American Heart Association/ American Stroke Association. Stroke 2014;45:2160-236.

22. Obstructive sleep apnea and risk of cardiovascular disease and all-cause mortality: a meta-analysis of prospective cohort studies. Int J Cardiol 2013;169:207-14.

23. Sleep disorderd breathing and recurrence of cerebrovascular events, case-fatality, and functional outcome in patients with ischemic stroke or transient ischemic attack. J Physiol Pharmacol 2008;59(suppl 6):615-21.

24. Early treatment of obstructive apnoea and stroke outcome: a randomised controlled trial. Eur Respir J 2011;37:1128-36.

25. Increased incidence of non-fatal cardiovascular events in stroke patients with sleep apnoea: effects of CPAP treatment. Eur Respir J 2012;39: 906-12.

26. Early treatment of obstructive apnoea and stroke outcome: a randomised controlled trial. Eur Respir J 2011;37:1128-36.
27. Nocturnal intermittent hypoxia and the development of type 2 diabetes: the Circulatory Risk in Communities Study (CIRCS). Diabetologia 2010; 53: 481–488.
28. Insulin resistance and adipose-derived hormones in young men with untreated obstructive sleep apnea. Sleep Breath 2013; 17: 403–409.
29. Sleep disordered breathing, glucose intolerance, and insulin resistance: the Sleep Heart Health Study. Am J Epidemiol 2004; 160: 521–530.

第四十章

睡眠醫學—
睡眠窒息症危害駕駛安全

有機會與振華（假名）再茶聚時，自不然問候他的阻塞性睡眠窒息症（Obstructive Sleep Apnea, OSA）情況，振華經使用連續正氣壓機（Continuous Positive Airway Pressure, CPAP）後，日間嗜睡的情度大幅改善，他回想上一次在高速公路上駕駛時睡著了真是驚險萬分！其實患有阻塞性睡眠窒息症的司機比其他司機有多 2 至 10 倍的撞車風險 [1,2]。由於振華經常返回內地各處做生意，因此需要乘搭各類型長途車，他間中也會發現長途車司機駕駛時打瞌睡，情況令乘客提心吊膽！

振華一派嚴肅地問我患有阻塞性睡眠窒息症的司機是否適合「揸車」？我們首先要分開私家車司機和商業車司機來討論。醫學界暫時未能訂立任何指標來判斷一個司機是否適合「揸車」，振華自作聰明説：「簡單用呼吸暫停次數／Apnoea-

Hyponea Index, AHI 就可以吧！」不同醫學團體的確曾經提議不同的 AHI 劃線（由 AHI20 至 40 不等）來禁止司機「揸車」。可惜一個司機會否撞車與他的 AHI 度數沒有強烈關係[3]。相反司機是否曾經因駕駛時入睡引致撞車的歷史更有預測性[4-5]，了解病人的嗜睡情度（用愛普渥斯嗜睡躓量表 / The Epworth Sleepiness Scale 來評估）可能有幫助[6]，但使用其他複雜的測試（eg, Multiple Sleep Latency Test or Maintenance of Wakefulness Test[7]）就未必更有效用。

　　患有阻塞性睡眠窒息症的司機接受了 CPAP 治療後，若果他再沒有日間嗜睡的問題及駕駛時入睡，那麼我們相信他可以安全駕駛，不過這些有 OSA 的司機必需堅持有七成日子每晚使用四小時 CPAP 以上[8]，至於那些使用 Oral Appliance, OA 的司機又如何？有權威人仕相信唯有那些使用 OA 後能達至 AHI 少於 10 才適合「揸車」，不過這些 OSA 司機同樣必需堅持有七成日子每晚使用 OA 四小時以上[9]。

　　在歐美國家，無論是立法機關或醫學界，對於商（職）業車司機的要求是更高的[10,11]。可是一個本地調查（有 1016 個巴士司機參與）[12] 發現 24% 的司機曾經在駕駛時打瞌睡。其中 211 個巴士司機接受了睡眠測試，原來竟然有 17.5% 的司機患上了睡眠窒息症（AHI>15/h）！與之前另外一個小型研究（只有 216 個巴士司機參與）的結果接近[13]，可惜香港在這方面沒有嚴格的規管。其實要時常安全駕駛，真是每一位司機（有無 OSA）的必然責任！

參考文獻：

1. Cost-effectiveness of continuous positive airway pressure (CPAP) for moderate to severe obstructive sleep apnea hypopnea. Arch Intern Med 2006;166:977-84.

2. Systematic review of motor vehicle crash risk in persons with sleep apnea. J Clin Sleep Med 2009;5:573-81.

3. Risk and severity of motor vehicle crashes in patients with obstructive sleep apnoea/hypopnoea. Thorax 2008;63:536-41.

4. Factors associated with serious traffic crashes:A prospective study in southwest France;CESIR Group. Arch Intern Med 2012;172:1039-41.

5. Sleepiness, near-misses and driving accidents among a representative population of French drivers. J Sleep Res 2010;19:578-84.

6. new method for measuring daytime sleepiness:The Epworth Sleepiness Scale. Sleep 1991;14:540-5.

7. Can the MSLT be a useful tool to assess motor vehicle crash risk in sleepy drivers? Sleep 2010;33:729-30.

8. An Official American Thoracic Society Statement: Continuous positive airway pressure adherence tracking systems:The optimal monitorings strategies and outcome measures in adults. Am J Respir Crit Care Med 2013;188:613-20. 22.

9. Obstructive sleep apnea and driving: A Canadian Thoracic Society and Canadian Sleep Society position paper. Can Respir J 2014;21(2):114-123.

10. Statement from the joint task force of the American college of chest physicians, the American college of occupational and environmental medicine, and the national sleep foundation:sleep apnea and commercial motor vehicle operators. Chest 2006;130:902-5.

11. New rules on driver licensing for patients with OSA:EU directive 2014/85/EU. Eur Respir J 2016;47:39-41.

12. Sleep disordered breathing and continuous positive airway pressure compliance in a group of commercial bus drivers in Hong Kong. Respirology 2006:11(6):723-30

13. Prevalence of snoring and sleep disordered breathing in a group of commercial bus drivers in Hong Kong. Internal Medicine Journal 2002;32(4):149-57

第四十一章

睡眠醫學—
慢阻肺病——睡眠窒息重疊症

　　早上經過睡眠測試室，見到「肥佬陳」（假名）剛接受完睡眠多維圖檢查（polysomnography）。一般慢阻肺病病人都偏向瘦削的，但他是一個異常肥胖的慢阻肺病病人，所以對他印象特別深。閒談中得悉他被太太投訴，鼻鼾聲如行雷般擾人清夢，而且白天經常「釣魚」（打瞌睡），與此同時他的肺功能因持續吸煙已變得更惡劣。他今次是被太太及醫護人員「迫」入來做檢查的。

　　這時我當然毫不猶疑就跟他好好講下「古仔」，任何人都可數出一大串肥胖所引起的健康問題，慢阻肺病病人繼續吸煙更是「閒得少了」。測試確認肥佬陳真的患上睡眠窒息症（sleep apnea, OSA）。睡眠呼吸中止症（Sleep Apnea，又譯作睡眠窒息症或睡眠呼吸暫停）是一種睡眠時候呼吸停止的睡眠障礙。簡單來說，阻塞性睡眠呼吸暫停（Obstructive Sleep Apnea, OSA）是由於喉嚨附近的軟組織鬆弛而造成上呼吸道阻塞，呼吸道收窄引致睡眠時呼吸暫

停。那真是雙鬼拍門——慢阻肺病加睡眠窒息重疊症（COPD-OSA overlap syndrome）。肥佬陳聽到「雙鬼拍門」這麼嚴重就要求我講解多一點。

其實慢阻肺病及睡眠窒息症都是非常普遍的，兩者共存於百份之一的成人中[1]患上重疊症的病人會比單單只有慢阻肺病的有更嚴重的缺氧（Hypoxemia），肺血壓高（pulmonary hypertension），及右心室衰歇（right heart failure）[2]一個小型醫學研究[3]發現重疊症病人日間的高碳酸血症（hypercapnia）及夜間低氧血瘓症（hypoxemia）都與他睡眠窒息症的嚴重程度有關。慢阻肺病病人由於吸煙引起上呼吸道內粘膜發炎（upper airway inflammation），而這組群亦特別容易有上呼吸道水腫（rostral shift of peripheral oedema when supine）[4]慢阻肺病病人病發時所使用的類固醇（Corticosteroid）也會令病人更加肥胖及水腫[1]，以上各種因素令他們更容易患上睡眠窒息症，而「肥佬陳」正正有齊以上各種高危因素。由於慢阻肺病和睡眠窒息症均與系統性發炎有關連的（associated with increased activation of many inflammatory cell and molecular mechanisms associated with atherosclerosis）[5]，因此相信重疊症的病人可能有更大機會患上心血管病。

一如所料「肥佬陳」乖乖的請教我如何治療重疊症，治療的重點正是使用連續正壓呼吸機（Continuous Positive Airway Pressure, CPAP）：在日常生活中，當我們吸氣時，肺內壓力低於大氣壓，氣流即進入肺，當兩種壓力平衡時，吸氣停止；

呼氣時，肺內壓力高於大氣壓，氣體呼出，當肺內壓不斷增高，並與大氣壓相等時，呼氣中止。應用連續正壓呼吸機（CPAP）後，吸氣時，有一個壓力促使氣體進入肺內，呼氣時同樣存在一個附加壓力，阻止氣體呼出。這個附加的壓力在吸氣時及呼氣時都起作用，而且大小無改變，故稱之為持續氣道正壓。睡眠呼吸暫停發生的關鍵在於上氣道的阻塞，應用持續氣道正壓通氣治療的原理就是通過給上氣道施加一個適當的壓力，以防止其塌陷。

一個西班牙的醫學研究[6]發現使用 CPAP 的重疊症病人比沒有使用 CPAP 的會更長壽及較少因慢阻肺病病發入院。使用 CPAP 三個月就能幫助穩定重疊症病人的血氧（arterial blood gas），肺動脈血壓（mean pulmonary artery pressure）及改善日間睡意指標（Epworth Sleepiness Score）和最大的呼吸力度（maximal inspiratory force）[7]。另一大型研究[8]亦確認使用 CPAP 的重疊症病人與非使用者的五年存活率有重大差異：71% 對 26%。所以我極力推薦肥佬陳用 CPAP。

肥佬陳自作聰明說：「錢不是問題，聽人家說最好用自動連續正壓呼吸機（Auto-Continuous Positive Airway Pressure）吧」。我隨即指出美國醫學界不主張重疊症病人使用 Auto-CPAP，原因是當他們的慢阻肺病病發時，氣管阻力（airway obstruction）必然上升，但 Auto-CPAP 會誤以為睡眠窒息症嚴重了，因而不斷自動加大壓力（CPAP working pressure），最終有可能造成肺部受損（barotrauma）因此定壓連續正壓呼吸機（fixed

CPAP）相反更為適合重疊症病。另一方面，某些非常嚴重的慢阻肺病病人在日間時，他們血液中已有過多二氧化碳（CO_2 retention），那麼就要使用更加高階的高低正壓呼吸機（Bilevel Positive Airway Pressure）來應對重疊症。

正當我滔滔不絕，肥佬陳卻挑戰我：「醫生你都過胖啦，似乎一樣要做睡眠測試！」幸好這時同事「高佬 John」找我，我當然借機閃人啦。醫生常常指導他人如何如何過健康生活，但自己卻背道而馳（睡眠不足，坐立時間過長，少運動⋯）唉，人總是只看到人家的問題（可能只是很少的），但卻察覺不到自己的問題（可能已是很巨大的）。對！我要坐言起行——「明天」開始減肥，因為今晚約了大女去食日本放題慶祝她二十一歲生日。

參考文獻：

1. Chronic obstructive pulmonary disease and obstructive sleep apnea: overlaps in pathophysiology, systemic inflammation, and cardiovascular disease. Am J Respir Crit Care Med 2009; 180:692–700.

2. The overlap syndrome: obstructive sleep apnea and chronic obstructive pulmonary disease. Harefuah 2009; 148:333–336.

3. Overlap syndrome: an indication for sleep studies? Sleep Breath 2009; 13:409–413.

4. Relationship between overnight rostral fluid shift and obstructive sleep apnea in nonobese men. Am J Respir Crit Care Med 2009; 179:241–246.

5. Systemic inflammation: a key factor in the pathogenesis of cardiovascular complications in obstructive sleep apnoea syndrome? Thorax 2009; 64:631–636.

6. Outcomes in patients with chronic obstructive pulmonary disease and obstructive sleep apnea: the overlap syndrome. Am J Respir Crit Care Med 2010; 182:325–331.

7. Fixed-pressure nCPAP in patients with obstructive sleep apnea (OSA) syndrome and chronic obstructive pulmonary disease (COPD): a 24-month follow-up study. Sleep Breath 2010; 14:115– 123.

8. CPAP and survival in moderate-to-severe obstructive sleep apnoea syndrome and hypoxaemic COPD. Eur Respir J 2010; 35:132–137.

第四十二章

睡眠醫學——
肥胖肺換氣不足綜合症

今天遇到一位特別的病人，他常常引起他人的注目，不要誤會他是什麼韓式俊男美女，相反他倒像個日本相撲手，我喜歡叫他肥師傅，不知是否與他做中式點心師傅有關，所以有如此龐大身形。許多年前他是因急性二型呼吸衰歇（acute type II respiratory failure）入院，當時大家都以為他患有非常嚴重的阻塞性睡眠窒息症（OSA），但因 OSA 引起呼吸衰歇的情況是絕無僅有的。所以我的團隊相信他實在是患上肥胖肺換氣不足綜合症（Obesity Hypoventilation Syndrome, OHS）。

事後亦証明我們的臨床診斷是正確——有 30-70% OHS 病人會因急性二型呼吸衰歇（acute type II respiratory failure）入院[1]。當時大家對處理 OHS 的經驗甚少，所以借用了處理慢阻肺病急性發作（AECOPD）的方案，使用了高低正氣壓呼吸機（Bi-Level Positive Airway Pressure, Bilevel Therapy）來改善肥師傅的呼吸衰歇情況，誤打誤

撞下病人的病情穩定下來[2] 不過相比慢阻肺病病人，肥師傅的反應較遲緩，其實這正是 OHS 病人典型的表現[3] 稍後肥師傅亦可以轉用連續正氣壓機（Continuous Positive Airway Pressure, CPAP）出院。

大家對肥人患上阻塞性睡眠窒息症不會感到陌生，但什麼是肥胖肺換氣不足綜合症（Obesity Hypoventilation Syndrome, OHS）？傳統上是指那些：日間血含二氧化碳（$PaCO_2$ >45mm Hg）；BMI（Body Mass Index）>30kg/m2；又沒有其他明顯病因引起的慢性肺泡換氣不足（chronic alveolar hypoventilation）的症候[4]。其病理十分複雜：中央肥胖引致橫隔膜活動受制、肺容量減少、用作呼吸的肌肉功能失調…[5,6]。一般來說病人越肥血中含二氧化碳量越高[7]。另外阻塞性睡眠窒息症亦常見於 OHS 的病人[8]。內分泌失調（Leptin and Insulin Like Growth Factor-1）也可能扮演一定角色[9,10]。

OHS 會帶來病人心血管和身陳代謝的改變[11]，OHS 病人會比 OSA 病人更常有肺動脈高壓（pulmonary hypertension）[12]，因而傷害健康及日常活動量[13]。一旦 OHS 病人需要入院接受治療，他們的病情大多嚴重，甚至要住院多時或入住深切治療部[14]，前景（prognosis）亦不太樂觀[15] 所以肥師傅上次是死裡逃生。要診斷 OHS 同樣要經睡眠測試（PSG）及量度病人睡眠時的血含二氧化碳量[16]。

第一線治療 OHS 的方案是利用正氣壓呼吸機（Positive Airway Pressure, PAP）來逆轉其病理，連續正氣壓機（CPAP）大多數已經能改善 50-80%

OHS 病人的病情 [17]，但自動連續正氣壓機（Auto-titrating CPAP）卻不適用於 OHS。若果 CPAP 不能令病人的含氧量高於 90%，那麼就應轉用高低正氣壓呼吸機（Bi-Level Positive Airway Pressure, Bilevel Therapy）[18]。幸好有部份病人在病情穩定後可以轉回用較經濟的 CPAP[19]，肥師傅的情況就是個好例子。不過有 10-20% 的 OHS 病人不肯接受正氣壓呼吸機治療（PAP），亦有另外 10-20% 病人使用 PAP 的情況不理想 [20,21]。單獨使用氧氣治療不單無助醫治 OHS，甚至可能加重病人血中二氧化碳量 [22,23]，但若果病人使用 PAP 後，血含氧量仍不達標，那麼這時就要加上氧氣治療 [17,19]，不過仍然要小心觀察病人的血中二氧化碳量 [20,24] 會否隨之上升。

　　成功減肥當然可以大大改善 OHS[25] 的病情，但手術比其他方案更能保持「瘦身」效果 [26]。藥物治療對 OHS 是起不了大作用的 [27,28]。但我嚇然發現肥師傅這些年來從未成功減過肥。他笑笑口説：「下次先至講呢樣，減肥是終身事業、不用急的。」

....

參考文獻：
1. Obesity-hypoventilation syndrome: increased risk of death over sleep apnea syndrome. PLoS One. 2015;10(2):e0117808.
2. Noninvasive ventilationin acute hypercapnic respiratory failure caused by obesity hypoventilation syndrome and chronic obstructive pulmonary disease. Am J Respir Crit Care Med. 2012;186(12):1279-1285.
3. Determinants of noninvasive ventilation success or failure in morbidly obese patients in acute respiratory failure. PLoS One. 2014;9(5):e97563.

4. Obesity hypoventilation syndrome: Does the current definition need revisiting? Thorax. 2014;69(1):83-84.

5. Obesity hypoventilation syndrome–the big and the breathless. Sleep Med Rev. 2011;15(2):79-89.

6. Observational study of the effect of obesity on lung volumes. Thorax. 2014;69(8): 752-759.

7. Obesity-associated hypoventilation in hospitalized patients: prevalence, effects, and outcome. Am J Med. 2004;116(1):1-7.

8. Hypercapnia and ventilatory periodicity in obstructive sleep apnea syndrome. Am J Respir Crit Care Med. 2002;166(8): 1112-1115.

9. Pleiotropic role of IGF-I in obesity hypoventilation syndrome. Growth Horm IGF Res. 2010;20(2):127-133.

10. Association of serum leptin with hypoventilation in human obesity. Thorax. 2002;57(1):75-76.

11. Morbidity prior to a diagnosis of sleep-disordered breathing: a controlled national study. J Clin Sleep Med. 2013;9(2):103-108

12. The obesity hypoventilation syndrome revisited: a prospective study of 34 consecutive cases. Chest. 2001;120(2):369-376.

13. Pulmonary hypertension in obesity-hypoventilation syndrome. Respir Med. 2013;107(12): 2061-2070.

14. Obesity-associated hypoventilation in hospitalized patients: prevalence, effects, and outcome. Am J Med. 2004;116(1):1-7.

15. Comorbidities and mortality in hypercapnic obese under domiciliary noninvasive ventilation. PLoS One. 2013;8(1):e52006.

16. Volume targeted versus pressure support non-invasive ventilation in patients with super obesity and chronic respiratory failure: a randomised controlled trial. Thorax. 2012;67(8):727-734.

17. Impact of adherence with positive airway pressure therapy on hypercapnia in obstructive sleep apnea. J Clin Sleep Med. 2006;2(1):57-62.

18. Continuous positive airway pressure in clinically stable patients with mild-to-moderate obesity hypoventilation

syndrome and obstructive sleep apnoea. Respirology. 2013;18(7):1135-1142.

19. Randomised trial of CPAP vs bilevel support in the treatment of obesity hypoventilation syndrome without severe nocturnal desaturation. Thorax. 2008;63(5):395-401.

20. Long-term outcome of noninvasive positive pressure ventilation for obesity hypoventilation syndrome. Chest. 2010;138(1):84-90.

21. Short-term and long-term effects of nasal intermittent positive pressure ventilation in patients with obesity-hypoventilation syndrome. Chest. 2005; 128(2):587-594.

22. Moderate concentrations of supplemental oxygen worsen hypercapnia in obesity hypoventilation syndrome: a randomised crossover study. Thorax. 2014;69(4):346-353.

23. The effect of supplemental oxygen on hypercapnia in subjects with obesity-associated hypoventilation: a randomized, crossover, clinical study. Chest. 2011;139(5):1018-1024.

24. Mortality and prognostic factors in patients with obesity-hypoventilation syndrome undergoing noninvasive ventilation. J Intern Med. 2007;261(4):375-383.

25. Current concepts in the pathogenesis of the obesity-hypoventilation syndrome. Mechanical and circulatory factors. Am J Med. 1974;57(3):402-420.

26. Swedish Obese Subjects Study. Effects of bariatric surgery on mortality in Swedish obese subjects. N Engl J Med. 2007;357(8):741-752.

27. Short-term medroxyprogesterone acetate in postmenopausal women with sleep disordered breathing: a placebo-controlled, randomized, double blind, parallel-group study. Menopause. 2014;21(4):361-368.

28. Hypercapnic respiratory failure in obesity-hypoventilation syndrome: CO2 response and acetazolamide treatment effects. Respir Care. 2010;55(11):1442-1448.

第四十三章

睡眠醫學—
少年人的睡眠難題

今天收到振華的兒子 Wilson 來電，令我十分詫異，因為今時今日年青人甚少會找長輩傾心事。Wilson 表示自從升進中學後成績就大幅後退，父母一口咬定是因他每晚不到凌晨不肯入睡有關，大大影響了他的學業。父母倆都是社會上的成功人仕，難免對下一代有極高冀望，為此一家人常常爭吵，他也對自己的表現不滿意和失望，因此 Wilson 想找我解決他的睡眠問題。

經詳談後的確發現 Wilson 有嚴重睡眠不足情況——每天只睡四五小時。正在發育的少年人 [13 至 18 歲] 是需要每天約 8 至 10 小時的睡眠！但據本地調查，12-13 歲的青少年通常平日晚上 11 時上床，早上 7 時前起床。到了周末他們平均午夜 12 時才上床，翌日差不多 10 時才起床。另外兒童及青少年有睡眠障礙問題並不罕見，香港 11% 的學童有鼻鼾、1.5% 有睡眠窒息症、20% 有磨牙及 5% 有尿床現象。

多個原因引起少年人睡眠不足是：如青春期身體的變化、繁忙的日程、多姿多彩的社交生活及對睡眠

的錯誤觀念。學生在應付日常繁重的功課外，還要追趕各式各樣的資訊和娛樂的潮流，當然還有在社交平台上跟朋友不停「吹吹水」（交談），每晚自不然弄到三更半夜才乖乖入床。這牽涉到好幾個錯誤觀念和無知：第一是輕視睡眠的重要性，每當時間不夠用時，他們就會犧牲睡眠的時間、第二是受到朋輩的壓力和誤導，誤以為遲睡就是大個仔的表現、第三他們自恃年少氣壯，心想在週末瞓番夠本去彌補平時睡眠不足，誰不知這混亂的睡眠習慣大大破壞了自己的生理時鐘、第四是不認識到睡眠不足會影響到他們的學習表現、第五睡眠不足亦可能引起過肥 [1,2] 及其他新陳代謝問題 [3]，情況以男生更為嚴重 [4]、第六是睡眠不足會令人更容易對食物過敏 [5]、第七甚或可以引致抑鬱，憂慮或有自殺傾向的嚴重後果 [6,7,8]。

　　但 Wilson 誠懇地告訴我他沒有以上的壞習慣，只是不知為何他總是要到凌晨一兩點才能入睡，這正是他的煩惱，所以才找我想想辦法，不想令父母再失望，Wilson 果然是個好孩子。這不其然令我想起睡眠週期延遲症 (Delayed Sleep Phase Syndrome, DSPS)，這是一種慢性睡眠紊亂，患者一般都會晚睡晚起，生活節奏受嚴重影響。在臨床診斷中，部分患者要到等至天亮才能入睡，一旦睡著，睡眠時間卻跟正常人相約。然而這種晚睡晚起的狀態，令人難以按時上班上課，擾亂作息時序 [9,10]。此症常在兒童期或青春期出現，一些人的徵狀會隨年紀增長而消失，但一些人卻終生受此症困擾。DSPS 的治療方案包括臨睡前避免強光（如電視、電腦……）及早上多接觸室內室外強光 [9]，有些時候可能要配合藥療如褪黑素 (Melantonin) [11]。

我十分體會到 Wilson 的自責，因為他不能達到父母的要求和冀望。我堅定地告訴他辦法多的是，不要灰心。最重要是一個人的價值不在他人的口，在這個以結果（求學時考第幾名、工作時搵幾多錢）論英雄的香港要保持清醒頭腦極不容易。我馬上就聯絡了兒科呼吸系統科醫生同事幫幫 Wilson。

參考文獻：

1.　Short sleep duration and body mass index: a prospective longitudinal study in preadolescence. Am J Epidemiol 2011; 173:621–629.

2.　Short sleep duration is independently associated with overweight and obesity in Quebec children. Can J Public Health 2011; 102:369–374.

3.　Sleep duration, sleep regularity, body weight, and metabolic homeostasis in school-aged children. Pediatrics 2011; 127:e345–e352.

4.　Associations of sleep duration with obesity and serum lipid profile in children and adolescents. Sleep Med 2011; 12:659–665.

5.　Association between short sleep duration and the risk of sensitization to food and aero allergens in rural Chinese adolescents. Clin Exp Allergy 2011; 41:547–555.

6.　Sleep in adolescents: the perfect storm. Pediatr Clin North Am 2011; 58:637–647.

7.　Earlier parental set bedtimes as a protective factor against depression and suicidal ideation. Sleep 2010; 33:97–106.

8.　Associations between nonrestorative sleep, short sleep duration and suicidality: findings from a representative sample of Korean 1 adolescents. Psychiatry Clin Neurosci 2013; 67:28–34.

9.　Adolescent changes in the homeostatic and circadian regulation of sleep. Dev Neurosci 2009; 31:276–284. 14.

10.　Delayed sleep phase syndrome in adolescents: prevalence and correlates in a large population based study. BMC Public Health 2013; 13:1163.

11.　Melatonin treatment effects on adolescent students' sleep timing and sleepiness in a placebo-controlled crossover study. Chronobiol Int 2012; 29:1239–1248.

第四十四章

睡眠醫學——
懷孕中常見的睡眠問題

今天振華的太太 Virginia 帶了她的小妹 Vivian 來見我，原來平時已相當肥胖的 Vivian 在懷孕後更加增磅不少。Vivian 的丈夫發現她現在睡覺時不止打鼻鼾（snoring），甚至會中止呼吸（witnessed apnea）、亦有日間渴睡、情緒不穩、暴躁及易怒等現象。四十歲的 Vivian 才第一次懷孕，所以夫婦倆十分小心留意任何異常情況。這態度是正確的，高齡產婦在香港越來越普遍，這批產婦確是對現代醫療一大挑戰。由於振華患上阻塞性睡眠窒息症（OSA），因此 Virginia 對 OSA 有一定警覺，她亦懷疑 Vivian 患上 OSA。

經一輪評估後，我也同意 Virginia 的想法，一如其他孕婦，Vivian 說：「大咗肚，有這些情況不出奇呀！就算我有睡眠窒息症，亦不想作任何檢查及治療，害怕這些程序會危害胎兒健康。」這種想法當然錯誤至極。打鼻鼾及睡眠窒息症常發生在孕婦身上 [1] 最可怕的是如果孕婦患上阻塞性睡眠窒息症而又畏疾

忌醫，將會危害胎兒健康。Virginia 跟 Vivian 即時緊張起來，我指出亞洲婦女有特別風險，若懷孕期間患上阻塞性睡眠窒息症可以引發嬰兒早產（OR=1.98）及嬰兒不足磅（OR=1.75）[2]。嬰兒早產是嬰兒頭號殺手[3]，不足磅亦會增加嬰兒發病及死亡[4]，胎兒宮內生長受限（Intrauterine growth restriction, IUGR）亦會較容易發生在有 OSA 的孕婦身上（OR=1.44）[2]，IUGR 是指懷孕期在母親子宮內的胎兒生長緩慢，這可引發極大問題——胎兒夭折[5]、較容易有先天性缺憾[6]、到了成年時腦部智能較弱[7] 及出現心臟病[8]。薈萃分析（meta-analysis）亦指出這批母親患上妊娠期糖尿病（Gestational Diabetes, OR=1.78）、妊娠毒血症（Preeclampsia, OR=2.19）、其嬰孩入住初生嬰兒深切治療部（NICU admission, OR=2.43）的機會率都上升。最重要是無論是多維圖睡眠檢查（Polysomnography，PSG）或者是連續正氣壓機（Continuous Positive Airway Pressure, CPAP）對孕婦都是安全的[9]。這時 Vivian 同意立即盡快安排檢查。

但 Vivian 亦有另外兩個問題——失眠 (primary insomnia) 及疑似不寧腿症狀 (Restless Legs Syndrome, RLS)。孕婦有不寧腿綜合症是十分普遍[10]，夜間睡眠時，雙下肢出現極度的不適感，迫使患者不停地移動下肢或下地行走，導致患者嚴重的睡眠障礙，該病雖然對生命沒有危害，但卻嚴重影響患者的生活質量。

孕婦將來無論是否再懷孕，她會再患上不寧腿綜合症的機會也大增[10]。另外孕婦常常因各種原

因患上失眠[11]，因此我介紹了資深的精神科醫生給
Vivian。

參考文獻：

1. The prevalence and correlates of habitual snoring during pregnancy Sleep Breath 2013;17:541-7.

2. A systemic review and quantitative assessment of sleep disordered breathing during pregnancy and perinatal outcomes. Sleep breath 2014;18:703-713.

3. Prenatal life events stress: implications for preterm birth and infant birthweight. Am J Obstet GYnecol 2010;203(1):e1-8.

4. Risk factors for low birth weight: a review. Eur J Obstet Gynecol Reprod Bio 2004;116:3-15.

5. The importance of fetal gender in intrauterine growth restriction. J Med Life 2013;6:38-39.

6. Intrauterine growth restriction and congenital malformations : a retrospective epidemiological study. Ital J Pediatr 2013;39:23.

7. Small for gestational age and intrauterine growth restriction decreases cognitive function in young adults. J Pediatr 2013;63:447-453.

8. The long term effects of prenatal development on growth and metabolism. Semin Reprod Med 2011;29:257-265.

9. Pregnancy, sleep disordered breathing and treatment with nasal continuous positive airway pressure. Sleep Med 2004;5:43-51.

10. Report of the "RLS and woman" workshop endorsed by the European RLS study group. Sleep Med Rev 2012;16:297-307.

11. Diagnostic and management approach to common sleep disorders during pregnancy. Clinical Obstetrics and gynecology 2013;56(2):360-371.

第四十五章

睡眠醫學—
進階型睡眠周期障礙

　　振華今天帶了他八十多歲的母親（陳老太）來找我看病，在上次探訪振華時對老太的問題亦略有所聞。她晚上七時許就要上床睡覺，但凌晨兩點就起床，作息時間與家人大相逕庭。由於振華非常孝順母親，所以要求家人一切作息都要遷就老太，但好明顯這不是現代人的生活模式，不難想像其中會引發家庭衝突。所以最後振華找我想想辦法。

　　在上次拜訪時，我己經懷疑老太患上進階型睡眠周期障礙（Advanced Sleep Phase Disorder/syndrome, ASPD）。簡單來説、病人的生理時鐘比常人走快了：晚上六至九時就要上床、由於睡眠過程本身正常，所以凌晨兩點至五點就瞓夠起床。ASPD是一種不常見的疾病，比較多見於長者。醫學界認為這種睡眠時序是由於病人身體過早分泌褪黑素（Melatonin）有關。病人可能誤以為這異常早醒是因失眠或抑鬱引起，亦有些病人十分擔心或不能接納人人安睡自己卻清醒的現象，就是這些憂慮及不安令ASPD病人產生了真正的失眠。

這時陳老太才肯盡吐心聲，其實她一早已察覺自己嚴重打擾了一家大小的生活習慣，為免振華與家嫂因她再爭吵，所以老太曾偷偷在黃昏時狂飲咖啡提神，希望能捱到九時後才上床，又在凌晨醒來時再食安眠藥，為要令自己再睡多幾小時至天亮，她所做的這一切都為要一家人不再因她古怪的睡覺習慣再起爭執。可惜一切也徒然，她的情況不但沒有改善反而變得更壞[1]。這時振華已眼泛淚光，感謝母親默默的付出，母慈子孝令人動容。我真誠地跟振華和陳老太說：「情況真的不是這麼絕望！」

　　經再進一步了解，原來陳老太患了很久及很深的糖尿病，但病情一直不大受到控制，所以夜尿次數十分多，這自然影響了她的睡眠質素[2]及整體健康[3]。其實她的腎功能也因糖尿病壞到不得了，這正好解釋到為何她每晚睡覺時都有奇怪的感覺——總要不停郁動。這現象叫 Restless Legs Syndrome（RLS, 不寧腿綜合症）[4]。整晚不停地踢腳，患者怎能安睡呢？而長者及腎衰歇病患者正正是這病的高危人仕[5,6]。如此看來陳老太的睡眠問題並不簡單。

　　振華追問他母親的睡眠問題可有對策？我首先介紹了一位很好的內分泌科醫生來改善老太的糖尿病及其併發症（夜尿和不寧腿綜合症）。至於如何面對進階型睡眠周期障礙（ASPD）我卻有另一番見解，雖然理論上可以使用照燈法（bright light therapy）去改變 ASPD。其原理就是在黃昏時病人接受照燈，令身體好像接觸到自然陽光（即欺騙身體那時候仍是白晝），從而重新調教病人生理時鐘[7]。不過我要問一個最基本問題——為何硬要老人家改變她的睡眠／生活習慣？她早已退休，根本毋須配合社會上大多數人的作息時間表！

至於一家人生活是否和諧，並不是要每一位家人都要有同一思想和生活模式，而真正家庭生活和諧卻是每一位家人可能有絕然不同的思想和生活模式，但各人能尊重，接納甚至欣賞對方。所以我給陳家的處方是尊重、包容，讓大家放下自己，讓老太太繼續她自己原有的生活（睡眠）模式、讓大家各自各精彩吧！

參考文獻：

1. American academy of sleep medicine. http://www.sleepeducation.org/sleep-disorders-by-category/circadian-rhythm-disorders/advanced-sleep-wake-phase

2. Strong impact of nocturia on sleep quality in patients with lower urinary tract symptoms. World J Mens Health 2012;30(2): 123–30.

3. LUTS and sleep disorders: emerging risk factor. Curr Urol Rep 2012;13:407–12.

4. Restless legs syndrome: diagnostic criteria, special considerations, and epidemiology: a report from the Restless Legs Syndrome Diagnosis and Epidemiology Workshop at the National Institutes of Health. Sleep Med 2003;4:101–19.

5. Impact, diagnosis, and treatment of restless legs syndrome (RLS) in a primary care population: the REST (RLS epidemiology, symptoms, and treatment) primary care study. Sleep Med 2004;5:3–237.

6. Restless legs syndrome: a comprehensive review on its epidemiology, risk factors, and treatment. Sleep Breath 2012;16: 987–1007.

7. American sleep association. https://www.sleepassociation.org/patients-general-public/advanced-sleep-phase-syndrome/

第四十六章

睡眠醫學—
中樞神經性睡眠窒息症

　　數年前心臟科同事轉介了一個心臟衰歇的病人
（黃先生，假名）給我匯診，他之前已患上阻塞性睡
眠窒息症（OSA）及使用自動連續正氣壓機（Auto-
CPAP），但隨著他心臟衰歇變壞，他的睡眠質素
也變得甚差。所以我安排了黃先生再進行睡眠測試
（Polysomnography,PSG），結果顯示他同時患
上中樞神經性睡眠窒息症（Central Sleep Apnea,
CSA），這窒息症是由於腦部中樞神經受不明因素影
響，未能有效地把呼吸訊號送到有關的器官和組織，
令患者在睡眠期間出現呼吸暫停的情況。

　　這種因心臟衰歇引起的 CSA 十分特別，他的
呼吸模式有點像波浪一般（the breathing cycle has
long crescendo decrescendo arms, Cheyne-Stokes
breathing），因而有人譯它作潮式呼吸[1,2]。心臟
衰歇病人患上睡眠窒息症是相當普遍的：一個包涵
1250 個病人的研究數據[3-7]顯示，其中 52% 病人有

中等至嚴重的睡眠窒息症、31% 病人有中樞神經性睡眠窒息症及 21% 病人有阻塞性睡眠窒息症。

心臟科同事用盡了一切藥物治療黃先生，可惜他的心臟衰歇情況實在太差，因而他需要進行心臟再同步化治療（Cardiac Resynchronization Therapy, CRT），只不過 CRT 的費用達港幣十四萬之高，所以等候官方批准的時間甚長。我大膽使用了 Adaptive Servo-Ventilation（ASV）來控制黃先生的潮式呼吸（Cheyne-Stokes breathing）[8]，幸好他的病情在使用 ASV 後得到大幅改善；最終，黃先生亦完成了 CRT 治療。

他的心臟衰歇不但受到控制，潮式呼吸亦消失了，黃先生也可以用回自己的自動連續正氣壓機。在 2015 年，有學者發現使用 ASV 可能令某些心臟衰歇病人死亡率上升 [9]，那項研究震驚全醫學界，但隨後有不同權威質疑其可信及通用性，亦引發另一研究（Adaptive Servo-Ventilation for Therapy of Central and Obstructive Sleep Apnea in Heart Failure, ADVENT-HF）[10]，但可惜那研究直至筆者執筆時還未完成。

中樞神經性睡眠窒息症亦會發生在病人腦中風後 [11]，而且同是潮式呼吸（Cheyne-Stokes breathing）[12]。發生在腦幹及脊髓的疾病同樣可能造成中樞神經性睡眠窒息症 [13-16]。由於神經肌肉疾病（neuromuscular disorders）可以影響呼吸肌（respiratory muscle）、膈神經（phrenic nerve）及肋間神經（intercostal nerve）的功能，因此這組疾病都有可能造成 CSA[17]。若果那組病人的腦幹功

能仍然正常,使用高低正氣壓機(Bilevel Positive Airway Pressure)就可以控制他們的 CSA。然而若病人同時有節律發生(Rhythmogenesis)及上呼吸道阻塞(upper airway obstruction)的問題,醫生就要考慮透過氣管造口術(tracheostomy)來輔助通氣(assisted ventilation)[18-21]。

此外,OSA 和 CSA 都可以同時發生在患有巨人症(Acromegaly)[22] 或甲狀腺功能減退(Hypothyroidism)[23] 的病人身上

整體來説,中樞神經性睡眠窒息症(CSA)遠比阻塞性睡眠窒息症(OSA)複雜得多,成因亦多樣化,因而治療方案也必須對準病因或病理,作出個別處理(individualized),CSA 往往是醫護人員的挑戰,甚或是病人的噩夢。

參考文獻:

1. A short historical note. Ann R Coll Surg Engl 1973;52:330–4.
2. The case books of John Hunter FRS. New York: Parthenon Publishing; 1993. p. 29–30.
3. Sleep disorders in 100 male patients with systolic heart failure. A prospective study. Int J Cardiol 2006;106:21–8.
4. A high prevalence of sleep disorder breathing in men with mild symptomatic chronic heart failure due to left ventricular systolic dysfunction. Eur J Heart Fail 2007;9:243–50.
5. Sleep disordered breathing in patients with symptomatic heart failure: a contemporary study of prevalence in and characteristics of 700 patients. Eur J Heart Fail 2007;9:251–7.
6. The current prevalence of sleep disordered breathing in congestive heart failure patients treated with beta-blockers. J Clin Sleep Med 2008;4:38–42.

7. Influence of obstructive sleep apnea on mortality in patients with heart failure. J Am Coll Cardiol 2007;49: 1625–31.

8. The Treatment of Central Sleep Apnea Syndromes in Adults: Practice Parameters with an Evidence-Based Literature Review and Meta-Analyses. SLEEP 2012;35(1):17-40.

9. Increased mortality associated with adaptive servo-ventilation therapy in heart failure patients with central sleep apnea in the halted SERVE-HF trial. Can J Cardiol 2015;31:1202-3.

10. ClinicaTrials.gov, Effect of adaptive servo ventilation [ASV] on survival and hospital admissions in heart failure (ADVENT-HF). NCT01128816. Available from https://clinicaltrials.gov/ct2/show/NCT01128816

11. Time course of sleep-related breathing disorders in first-ever stroke or transient ischemic attack. Am J Respir Crit Care Med 2000;161:375–80.

12. Cheyne-Stokes respiration in ischemic stroke. Neurology 1995;45:820–1.

13. Ondine's curse in association with diabetes insipidus following transient vertebrobasilar ischemia. Clin Neurol Neurosurg 1999;101:196–8.

14. Respiratory control and respiratory sensation in a patient with a ganglioglioma within the dorsocaudal brain stem. Am J Respir Crit Care Med 2000;161:2100–6.

15. Central sleep apnoea and unilateral diaphragmatic paralysis associated with vertebral artery compression of the medulla oblongata. J Neurol 2003;250:503–5.

16. Chiari type 1 malformation, glossopharyngeal neuralgia and central sleep apnea in a child. J Child Neurol 1996;38:1126–30.

17. Neuromuscular disorders. In: Kryger MH, Roth T, Dement WC, editors. Principles and practices of sleep medicine. 3rd edition. Philadelphia: WB Saunders; 2000. p. 1087–92.

18. Nocturnal positive pressure ventilation via nasal mask. Am Rev Respir Dis 1987;135:738–40.

19. Treatmentof respiratory failure during sleep in patients with neuromuscular disease: positive-pressure ventilation

through a nose mask. Am Rev Respir Dis 1987;135:148–52.

20. The effect of non-invasive positive pressure ventilation (NIPPV) on cognitive function in amyotrophic lateral sclerosis: a prospective study. J Neurol Psychiatr 2001;71:482–7.

21. Reversal of sleep-induced hypoventilation and chronic respiratory failure by nocturnal negative pressure ventilation in patients with restrictive ventilator impairment. Am Rev Respir Dis 1987;135:1049–55.

22. Systemic complications of acromegaly: epidemiology, pathogenesis, and management. Endocr Rev 2004;25:102–52.

23. Central sleep apnea in hypothyroidism. Am Rev Respir Dis 1983;127:504–7.

第四十七章

睡眠醫學——
睡眠窒息症與腫瘤

　　雖然現代醫學已經比以前進步了不少，癌症仍然是人類的大患，因此科學家正努力尋找探索各種癌症的成因及治療方案。而睡眠窒息症的兩大特色 ——間歇缺氧（intermittent hypoxia）及睡眠分裂（sleep fragmentation）正正有致癌性（having carcinogenic properties）和引發更惡腫瘤及治療失效（inducing more aggressive cancer and resistance to the treatment of a preexisting tumor）的效果[1,2]。

　　第一個首先發現睡眠窒息症與腫瘤有關的研究在 2013 年發表[3]，這個科研有 4910 個病人參與，它顯示各類型腫瘤的發病率（incidence）都會隨病人晚間缺氧時間（nighttime with oxygen saturation < 90%）增長而上升。但同期另一較大型（8783 個病人）研究並不能複製出同一結論[4]。而稍後一個更大（9629 個病人）的研究一樣無法得出睡眠窒息症與腫瘤有關的結論[5]。但兩個臺灣的研究[6,7]分別認

為睡眠窒息症與乳癌及原發腦腫瘤有關。一個超巨型
（34,848 個睡眠窒息症病人）的薈粹分析[8]証實人
若患上睡眠窒息症，那他有腫瘤的機會大增（relative
risk ,1.53）。另一更超巨型（68,422 個腫瘤病人）的
嵌套病例對照研究（nested case control study）[9]發
現睡眠窒息症病人有較高風險患上乳癌（HR=2.1）、
鼻癌（HR=5.96）及前列線癌（HR=3.39）。

在 2012 年，以 Wisconsin population based 的
研究[10]發覺腫瘤病人的睡眠窒息症越嚴重，他們的
預後（prognosis） 越差。綜合其他研究[3,5,7,10,11]：
少於 65 歲、男性、無日間嗜睡、非肥胖及沒有接受
睡眠窒息症治療的人會有較高的腫瘤發病率和較差的
預後。在眾多腫瘤中，自然以患有頭或頸腫瘤的病人
有較高機會有睡眠窒息症[12,13]。

大家要留意以上每一個研究都有自身的不足或缺
點，所以我們暫不能肯定説睡眠窒息症會引發腫瘤或
使之預後變差。我們需要更多科研去解答多個未解的
疑團。

參考文獻：

1. The polymorphic and contradictory aspects of intermittent
   hypoxia. Am J Physiol Lung Cell Mol Physiol.
   2014;307(2):L129-L140.

2. Fragmented sleep accelerates tumor growth and
   progression through recruitment of tumor associated
   macrophages and TLR4 signaling. Cancer Res. 2014;74(5):
   1329-1337.

3. Association between obstructive sleep apnea and cancer
   incidence in a large multicenter Spanish cohort. Am J
   Respir Crit Care Med. 2013;187(1):99-105.

4. Symptoms of sleep-disordered breathing and risk of cancer: a prospective cohort study. Sleep. 2013;10(10):1429-1435.

5. Obstructive sleep apnea and the prevalence and incidence of cancer. CMAJ. 2014;186(13):985-992.

6. Sleep apnea and the subsequent risk of breast cancer in women: a nationwide population based cohort study. Sleep. Med. 2014;15(9):1016-1020.

7. Sleep apnea increased incidence of primary central nervous system cancers: a nationwide cohort study. Sleep Med. 2014;15(7):749-754.

8. Association between sleep-disordered breathing, obstructive sleep apnea, and cancer incidence: a systematic review and meta-analysis. Sleep Med. 2015;16(10):1289-1294.

9. Risk of cancer in patients with insomnia, parasomnia, and obstructive sleep apnea: a national nested case-control study. J Cancer. 2015;6(11):1140-1435.

10. Sleep-disordered breathing and cancer mortality: results from the Wisconsin Sleep Cohort Study. Am J Respir Crit Care Med. 2012;186(2):190-194.

11. Obstructive sleep apnea is associated with cancer mortality in younger patients. Sleep. Med. 2014;15(7):742-748.

12. The ocurrence of sleep-disordered breathing among patients with head and neck cancer. Laryngoscope. 2011;111(6):1917-1919.

13. High prevalence of obstructive sleep apnea among patients with head and neck cancer. J Otolaryngol. 2005;34(5):304-311.

第四十八章

睡眠醫學—
輪班工作好傷身

　　醫護工作往往需要員工輪班工作（shift work），以前這種要求令許多人對醫護工作因而卻步。隨著時代改變，現在很多服務性行業員工也需要輪更工作了。所謂輪更工作泛指在傳統工作時間（朝六晚六）以外工作如持續返早、返夜、不定期（早、午、晚）當值等工種。在美國約有 29% 的工人就需要在朝六晚六以外工作[1]。毫無疑問輪更工作破壞了正常的作息規律（sleep-wake cycle），因而引起睡眠不足及過度疲勞[2,3]。有研究甚至提出輪更工作可能造成乳癌及冠心病的可能性[4] 有充份証據顯示睡眠不足引起免疫系統及新陳代謝失調[5]、認知功能受損[6] 及容易患上長期病患[7]。

　　需要輪更工作的員工（Shift Workers, SW）比較多（risk ratio 1.16）有睡眠問題的捆擾，以失眠為甚[8]。一般人在當完夜更後在日間較易入睡而且多是熟睡，但他們睡覺的時間通常只會是四至六個小時而已[9]。若果員工的更期太密（兩更相差少於 11 小

時），他們每次也不會睡得很長[10]。同樣若果員工的更期（早、午、晚）轉得太密（defined as one to three similar shifts in a row），他們一樣每次也不會睡得很長的。工人經一連串輪班後，他們在第一個休息日（first day off）多能睡八小時以上[11]。他們最常有的問題是嗜睡（excessive sleepiness），尤其是在清晨或晚上工作[12]。

當這種因工作輪值制度所引發的作息失調問題（work schedule related sleep/wake Problems）持續達三個月以上，醫學界稱之為輪班工作睡眠紊亂"Shift Work Sleep Disorder"（SWD），這是生理節奏睡眠紊亂（clinical circadian rhythm sleep disorder）的一種。粗略估計約 10-23% 需要輪班工作的人有SWD[12]，而他們比其他員工會更常因嗜睡（excessive sleepiness）引發意外。

一個函括二百萬人的薈粹分析（systematic review and meta-analysis）發現輪更工作（shift work）與心肌梗塞/Myocardial infarction（pooled relative risk 1.23, 95% confidence interval 1.15 to 1.31）and 缺血性中風/ischaemic stroke（1.05,1.01 to 1.09）有關[13]。其中以夜更工人有最高風險（relative risk 1.41）。醫學研究同樣發現輪更工作增加工人變得過重及肥胖的機會[14,15]不單如此，更可能導致輪班工人患上糖尿病（adjusted odds ratio 1.12-1.15）[16,17]。

2007 年 the International Agency for Research on Cancer（IARC）首先提出輪更工作可能增加工人患上乳癌的風險[18]。但後期的醫學評論卻不認同[19-21]

亦有醫學評論認為如果員工從事輪更工作超過 20 年，那麼她們會患上乳癌的風險真的比較高 [22-25]。而男士方面，每從事輪班工作五年就會增加患前列線癌（CA prostate）的風險 2.8% [26]，另外從事輪班工作亦可能令人容易患上腸癌 [27]。

大家直覺上都相信從事輪班工作的工人會有較多與工作有關的意外，而事實也是如此 [28]，而工人在當夜更工作後翌日揸車亦更容易有意外 [29-30]

這樣看來輪班工作真的好傷身，然而這種工作模式是全世界的大趨勢，大家未必可以避免，唯有自求多福。

參考文獻：

1. Prevalence rates of work organization characteristics among workers in the U.S.: data from the 2010 National health Interview Survey. Am J Ind Med 2013;56:647-59. doi:10.1002/ajim.22108 pmid: 22911666.

2. Shift work, sleep, and sleepiness-differences between shift schedules and systems. Scand J Work Environ Health 2010;36:121-33. doi:10.5271/sjweh.2900 pmid:20119631.

3. Shift work and the assessment and management of shift work disorder (SWD). Sleep Med Rev 2013;17:41-54. doi:10.1016/j.smrv.2012. 02.002 pmid:22560640.

4. Shift work and chronic disease: the epidemiological evidence. Occup Med (Lond) 2011;61:78-89. doi:10.1093/occmed/ kqr001 pmid:21355031.

5. Why sleep is important for health: a psychoneuroimmunology perspective. Annu Rev Psychol 2015;66:143-72. doi:10.1146/annurev-psych-010213-115205 pmid:25061767.

6. Self-reported sleep duration and cognitive performance in older adults: a systematic review and meta-analysis. Sleep Med 2016;17:87-98. doi:10.1016/j.sleep.2015.08.021 pmid:26847980.

肺苦之言

7. Consensus Conference Panel. Joint consensus statement of the American Academy of Sleep Medicine and Sleep Research Society on the recommended amount of sleep for a healthy adult: methodology and discussion. Sleep 2015;38:1161-83.pmid:26194576.

8. The effect of the work environment on future sleep disturbances: a systematic review. Sleep Med Rev 2015;23:10-9. doi:10.1016/j.smrv.2014.10.010 pmid:25645126.

9. Shift work and disturbed sleep/wakefulness. Occup Med (Lond) 2003;53:89-94. doi:10.1093/occmed/kqg046 pmid:12637592.

10. Systematic review of the relationship between quick returns in rotating shift work and health-related outcomes. Ergonomics 2016;59:1-14. doi:10.1080/00140139.2015.1052020 pmid:26072668.

11. Tolerance to shift work-how does it relate to sleep and wakefulness? Int Arch Occup Environ Health 2004;77:121-9. doi:10. 1007/s00420-003-0482-1 pmid:14610678.

12. Shift work and the assessment and management of shift work disorder (SWD). Sleep Med Rev 2013;17:41-54. doi:10.1016/j.smrv.2012. 02.002 pmid:22560640.

13. Shift work and vascular events: systematic review and meta-analysis. BMJ 2012;345:e4800. doi:10.1136/bmj.e4800 pmid:22835925.

14. The effects of shift work on body weight change-a systematic review of longitudinal studies. Scand J Work Environ Health 2011;37:263-75. doi:10.5271/sjweh.3143 pmid:21243319.

15. The Relationship Between Shift Work and Metabolic Risk Factors: A systematic Review of Longitudinal Studies. Am J Prev Med 2016;50:e147-57. doi:10.1016/j.amepre.2015.11.013 pmid:26810355.

16. Shift work and diabetes mellitus: a meta-analysis of observational studies. Occup Environ Med 2015;72:72-8. doi:10.1136/oemed-2014-102150 pmid:25030030.

17. Sleep disturbances compared to traditional risk factors for diabetes development: Systematic review and meta-analysis. Sleep Med Rev 2015;30:11-24. doi:10.1016/j.smrv.2015.10.002 pmid: 26687279.

18. WHO International Agency For Research on Cancer Monograph Working Group. Carcinogenicity of shift-work, painting, and fire-fighting. Lancet Oncol 2007;8:1065-6. doi:10.1016/S1470-2045(07)70373-X pmid:19271347.

19. Nightshift work and risk of breast cancer and other cancers-a critical review of the epidemiologic evidence. Scand J Work Environ Health 2008;34:5-22. doi:10.5271/sjweh.1194 pmid:18427694.

20. Night-shift work and risk of breast cancer: a systematic review and meta-analysis. Breast Cancer Res Treat 2013;138:291-301. doi:10.1007/s10549-013-2433-1 pmid:23400581.

21. Night-shift work and breast cancer-a systematic review and meta-analysis. Scand J Work Environ Health 2013;39:431-47. doi:10.5271/sjweh.3371 pmid:23804277.

22. A meta-analysis on dose-response relationship between night shift work and the risk of breast cancer. Ann Oncol 2013;24:2724-32. doi: 10.1093/annonc/mdt283 pmid:23975662.

23. Does night work increase the risk of breast cancer? A systematic review and meta-analysis of epidemiological studies. Cancer Epidemiol 2013;37:197-206.doi:10.1016/j.canep.2013.01.005 pmid:23403128.

24. Circadian disrupting exposures and breast cancer risk: a meta-analysis. Int Arch Occup Environ Health 2015;88:533-47. doi: 10.1007/s00420-014-0986-x pmid:25261318.

25. Night-shift work increases morbidity of breast cancer and all-cause mortality: a meta-analysis of 16 prospective cohort studies. Sleep Med 2015;16:1381-7. doi:10.1016/j.sleep.2015.02.543 pmid:26498240.

26. Does night-shift work increase the risk of prostate cancer? a systematic review and meta-analysis. Onco Targets Ther 2015;8:2817-26.pmid: 26491356.

27. A meta-analysis including dose-response relationship between night shift work and the risk of colorectal cancer. Oncotarget 2015;6:25046-60. doi:10. 18632/oncotarget.4502 pmid:26208480.

28. Shift and night work and long working hours-a systematic review of safety implications. Scand J Work Environ

肺苦之言

Health 2011;37:173-85. doi:10.5271/ sjweh.3146 pmid:21290083.

29. Harvard Work Hours, Health, and Safety Group. Extended work shifts and the risk of motor vehicle crashes among interns. N Engl J Med 2005;352:125-34. doi:10.1056/ NEJMoa041401 pmid:15647575.

30. Driver risk factors for sleep-related crashes.Accid Anal Prev 2003:35:321-31.pmid:23029278.

第四十九章

睡眠醫學—
何謂異樣睡眠障礙？

　　在早些日子接到一位七十多歲的長輩查詢，他發現他會在睡覺時手舞足蹈，所做的動作跟夢中情境一樣（act out of the dream），無意中打傷了身邊的太太，因而擔心不矣。從他的形容，他可能患上異樣睡眠障礙（Parasomnias）的眨眼睡眠期間睡眠行為問題（REM Sleep Behavior Disorder）

　　大家對異樣睡眠障礙（Parasomnias）這個名詞可能感到十分陌生。但我若說發開口夢、發惡夢、被鬼壓、夢遊等病都屬於異樣睡眠障礙的話，你可能即時有另一番感受。這類問題（Parasomnias）全都是在睡眠中發生之事情，幸好大多是無害的。通常可分異樣睡眠障礙為三類：

　　（一）在眨眼睡眠期間（REM sleep）

　　通常睡眠的生理可分為兩個階段，是按眼皮眨、不眨之分。前者稱為快眨眼 REM，後者非快眨眼 NON-REM；而 NREM 再分為一至四沉睡之分段（階一為淺睡、階四為深睡）。

在 REM 期間，有可能發生以下事情：

1. 發惡夢（Nightmares）

發夢是非常普遍的，但發惡夢則比較少。惡夢（Nightmare），亦稱噩夢或夢魘，指人在睡眠時做的令人感到恐懼的夢，有時伴有胸悶氣短等難受的感覺當然，日間壓力大也會增加惡夢，特別是經歷嚴重創傷的話。發惡夢很容易弄醒自已，且記憶尤新，令人緊張起來。

2. 睡眠癱瘓（俗稱夢魘 [被鬼壓]/Sleep Paralysis）

原來在 REM 睡眠中，人的身體之肌肉是在鬆弛狀態中，甚至是癱瘓，但呼吸之肌肉例外。有人在睡覺時，會出現一種睡眠障礙：睡眠處於半睡半醒的狀况，同時出現各種各样的幻覺，甚至還能聽见周圍的聲音，但奇怪的是，無論自己再怎样用力，却都使不上力來，想大叫也叫不出聲音，想　開眼或翻身起床，却一動也不能動，因此令人感到十分恐懼、像被鬼怪按著四肢一樣，故稱之為鬼魘／被鬼壓。通常人爭扎一少會兒後，都會回復正常。

3.REM Behavior disorder, RBD（眨眼睡眠期間睡眠行為問題）

這類病人在 REM 睡眠期間，他們的身體之肌肉卻不是在鬆弛狀態中，因而能作出奇異之行動，如同步做出夢境中的動作，甚至拳打身旁的人 [1]。一個研究估計 RBD 在

香港的流行率約 0.38%[2]，在其他地區大約是 0.5 至 2.01%[3,4]。這情況多發生在年老男性身上，且多是由於控制肌肉運動之中樞神經系統受到損傷（Neurodegenerative diseases）如帕金森氏病等等[1]。現有多項文獻長期（5 至 15 年不等）追蹤這類 RBD 病人，嚇然發現有相當高比例的病人最終會出現各種神經變性疾病（Neurodegenerative disorders）[5-9]。要診斷 RBD 需要了解病人曾否在睡覺時做出同夢境中一樣動作（history of dream enactment），並且配合睡眠測試（Polysomnography）[10]。

治療 RBD 的第一步就是保護病人及同床者（bed partner），如移走睡房中的危險物品（如利器）、睡床要遠離窗口[11]…。若病人在睡夢中有持續的危險或暴力行為，那麼就要考慮藥物治療（Clonazepam & Melatonin）[12,13] 了。

（二）在「半睡」期間（非眨眼睡眼 /NREM Sleep）

在 NREM 第三四期間（即深睡）突然有半睡半醒之反應：知覺尚未清醒，但手腳卻活躍起來，通常可分為兩類：

1. 夜驚症 (Night Terrors)

在睡眠中突然尖叫、哭喊，意識呈朦朧狀態，發作後約一至兩分鐘，又復入睡，隔天則不知何事。常見於兒童，其中男童又略多於女童。

2. 夢遊症 (Somnambulism)

夢遊症（Somnambulism），在神經學上是一種睡眠障礙，症狀一般為在半醒狀態下在居所內走動，但有些患者會離開居所或作出一些危險的舉動，如翻窗、開車甚至一些暴力活動，如殺人等。夢遊者眼睛張開，讓人誤以為是清醒的，而且可以回答一些簡單問題或命令。三分之一的夢遊者行為有侵略性，醒後不能記得自己曾經下床。大部分夢遊時間幾分鐘到一小時不等。

（三）在睡與醒期間

在剛入睡期間，通常是指 NREM 之第一二階段，是淺睡期，有些人會有以下表現：

1. 說夢話（開口夢）(Sleep talking)

説夢話就是睡眠時抑制作用沒有擴散到大腦皮層的全部，語言中樞有時還能活動，這時就會有説夢話現象，也叫夢囈或囈語。根據心理學家的研究，夢話根本與作夢無關。因為幾乎所有説夢話的現象，都是在沉睡階段發生，沉睡階段是不會作夢的。夢話的真正原因，迄今尚不能確知，有可能是壓力過大、精神緊張誘發的，説夢話不知應否算是一種病態。

2. 磨牙症（Bruxism）

夜磨牙是中樞神經系統大腦皮質頜骨運行區的部分腦細胞不正常興奮導致三叉神經功能紊亂，三叉神經支配咀嚼肌發生強烈持續性非功

能性收縮，使牙齒髮生嘎嘎響聲的咀嚼運動，隨時間一點一點加重，是一種長期的惡性循環疾病。

以上各類問題，除了 RBD 及夢遊症外大多是沒有嚴重傷害性的，亦不一定需要治療。但若問題發生頻密、或附有危險行為，那就要請教專科醫生了。所以我火速介紹了對睡眠醫學有深入研究的精神科醫生給那位長輩。

參考文獻：

1. Principles and Practice of Sleep Medicine, fifth ed., Elsevier-Saunders, Philadelphia, 2011, pp. 1083-1097.

2. Sleep related injury in the elderly-an epidemiological study in Honk Kong, Sleep 23 (2000) 513-517.

3. REM sleep behavior disorder in the Korean elderly population: prevalence and clinical characteristics, Sleep 36(2013) 1147-1152.

4. Violent behavior during sleep, J. Clin. Psychiatry 58 (1997) 369-376.

5. Delayed emergence of a parkinsonian disorder or dementia in 81% of older men initially diagnosed with idiopathic rapid eye movement sleep behavior disorder: a 16-years update on a previously reported series, Sleep. Med. 14 (2013) 744-748.

6. Qauntifying the risk of neurodegenerative disease in idiopathic REM sleep behavior disorder, Neurology 72 (2009) 1296-1300.

7. Neurodegenerative disorder risk in idiopathic REM sleep behavior disorder: study in 174 patients, PLoS One 9 (2014) e89741.

8. REM sleep behavior disorder preceding other aspects of synucleinopathies by up to half a century, Neurology 75 (2010) 494-499.

9. Probable RBD and association with neurodegenerative disease markers: a population-based study, Mov. Disord. 30 (2015) 1417-1421.

10. Diagnostic tools for REM sleep behavior disorder. Sleep Med Rev 2012;16[5]:415-429.

11. Behavioural and cognitive-behavioural treatments of parasomnias, Behav. Neurol. 2015 (2015) 786928.

12. Rapid eye movement sleep behavior disorder and neurodegenerative disease, JAMA Neurol. 72 (2015) 707-712.

13. Melatonin therapy for REM sleep behavior disorder: a critical review of evidence. Sleep Medicine 2015;16:19-26.

第五十章

睡眠醫學—
單單打鼻鼾真的無傷大雅？

　　各位讀者在看完十多篇關於睡眠窒息症的文章後，都可能有同一問題：若果一個人只是打鼻鼾（snoring）而沒有睡眠窒息症，那又會不會構成健康風險呢？

　　到現時為止什麼是打鼻鼾（snoring）沒有標準定義的。打鼻鼾是因為睡覺時，腍和咽喉肌肉鬆弛，令到呼吸道收窄，空氣過呼吸道時，震動了軟顎同咽喉的軟組織，引發出異常聲音[1]。正因為沒有標準定義，因此它的流行性（prevalence）在不同的研究有很大差異——由 2 至 85% 不等，一般來說男性較多[2]。大部份專家都認同打鼻鼾（simple snoring, SS）與阻塞性睡眠窒息症（OSA）是同一疾病光譜的兩極（a continuum of snoring from SS through Upper Airway Resistance Syndrome up to and through degrees of OSA）[3,4]。上呼吸道感染／發炎[5]、鼻塞[6]、吸煙[7]、高 BMI[8,9]、在郊野居住[10]及男性[11]均是令人打鼻鼾的高危因素。

　　許多時候都是發鼻鼾聲者（snorer）的家人
（尤其是同房／床）忍受不了那鼻鼾聲，因而催促
病人求診。有研究指出女性同房／床家人（female
bed partners of male snorers）會有較差的睡眠
質素及「瞓下醒下」[12]。有 40% 的室友或同床者
（bed partners）因不能忍受那鼻鼾聲而分房睡，亦
有三成人因鼻鼾聲破壞了雙方的關係[13]。另外鼻鼾
聲甚至可能令室友或同床者失聰（unilateral high
frequency hearing loss）[14] 若能根治了患者的鼻鼾
聲，就會減少同床者患上抑鬱的風險[15]。

　　至於若病人只有打鼻鼾（snoring）而沒有睡眠
窒息症，那麼這些病人究竟身體／生理上有無受損
呢？持正反兩方意見的醫學文獻甚多：一個追蹤發
鼻鼾聲者達十年的研究，並無發現此等人仕有較高
的心血管病風險[16]；當然有學者不同意，認為每多
10% 打鼻鼾時間，就會增加頸動脈硬化優勢化 40%
（in the odds of carotid atherosclerosis）[17]。奈何
後來另一位學者又發報完全相反的研究結果——頸動
脈收窄（carotid stenosis）與打鼻鼾無關[18]。在一
個有 5995 人參與的研究[19]，發覺死亡率（all cause
mortality）與打鼻鼾的程度（snoring index）掛鈎。
但其他醫學評論（review）又不盡同意[20]，現在可
以說大家仍未能確定單單打鼻鼾本身是否獨立地傷害
健康。

　　儘管打鼻鼾未必構成健康風險，但它總是惱人，
使人尷尬的。使用手術（palatal implant system and
radiofrequency thermal ablation）治理鼻鼾聲較理
想[21]。

參考文獻：

1. Multilevel radiofrequency ablation for snoring and OSAHS patients therapy: long-term outcomes. Eur Arch Otorhinolaryngol 2012;269:321-30.
2. Prevalence of sleep related symptoms in four latin American cities. J Clin Sleep Med 2008;4:579-85.
3. Snoring management with nasal surgery and upper airway radiofrequency ablation. Otolaryng Head Neck 2012;146:1023-7.
4. Risk factors and correlates of snoring and observed apnea. Sleep Med 2008;9:290-6.
5. Early life environment and snoring in adulthood. Respir Res 2008;9:63.
6. Snoring, daytime sleepiness, and nasal obstruction with or without allergic rhinitis. Arch Otolaryngol Head Neck Surg 2008;134:1254-7.
7. The influence of active and passive smoking on habitual snoring. Am J Respir Crit Care Med 2004;170:799-803.
8. Longitudinal study of risk factors for habitual snoring in a general adult population: the busselton health study. Chest 2006;130:1779-83.
9. Snoring, hypertension and type 2 diabetes in obesity. Protection by physical activity. J Endocrinol Invest 2004;27:150-7.
10. Risk factors and correlates of snoring and observed apnea. Sleep Med 2008;9:290-6.
11. Gender difference in snoring and how it changes with age: systematic review and meta-regression. Sleep Breath 2012;16:977-86.
12. Effect of sleeping alone on sleep quality in female bed partners of snorers. Eur Respir J 2009;34:1127-31.
13. Patient and bed partner-reported symptoms, smoking, and nasal resistance in sleep disordered breathing. Chest 2005;128:2176-82
14. Noise-induced hearing loss in snorers and their bed partners. J Otolaryngol 2003;32:141-5.
15. Changes in emotional state of bed partners of snoring and obstructive sleep apnea patients following radiofrequency tissue ablation: a pilot study. Sleep Breath 2010;14:125-30.

16. Long-term cardiovascular outcomes in men with obstructive sleep apnoea-hypopnoea with or without treatment with continuous positive airway pressure: an observational study. Lancet 2005;365:1046–1053.

17. Heavy snoring as a cause of carotid artery atherosclerosis. Sleep 2008;31:1207–1213.

18. Snoring and severity of symptomatic and asymptomatic carotid stenosis: a population-based study. Sleep 2012;35:1147–1151.

19. An epidemiologic study of snoring and all-cause mortality. Otolaryngol Head Neck Surg 2011;145:341–346.

20. Self reported habitual snoring and risk of cardiovascular disease and all cause mortality. Atherosclerosis 2014;235:189-195.

21. Snoring: a critical analysis of recurrent treatment modalities. Does anything really work? Curr Opin Otolaryngol Head Neck Surg 2007;15:177-9.